#수학개념학습
#학습만화
#재미있는수학
#만화로개념잡는

개념클릭

Chunjae
Makes
Chunjae

▼

개념클릭

편집총괄	지유경
편집개발	정소현, 조선영, 최윤석
디자인총괄	김희정
표지디자인	윤순미, 장미
내지디자인	박희춘
제작	황성진, 조규영

발행일	2019년 5월 15일 개정초판 2024년 4월 15일 6쇄
발행인	(주)천재교육
주소	서울시 금천구 가산로9길 54
신고번호	제2001-000018호
고객센터	1577-0902

공 부 가 즐 거 워 지 는

개념
클릭

★ 해법수학 ★

5-2

구성과 특징

수학 공부를 쉽고, 재미있게 할 수 있는 교재는 없을까?

개념을 자세히 설명해 놓으면 잘 읽지 않고, 그렇다고 설명을 안 할 수도 없고······.

만화로 교과서 개념을 설명한 책은 많지만, 수박 겉핥기 식으로 넘어가기만 하니······.

개념클릭 해법수학이 탄생하게 된 배경입니다.

개념클릭 해법수학 4단계 시스템!

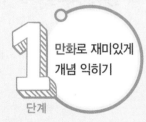 만화로 재미있게 개념 익히기 **단계**

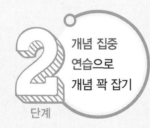 개념 집중 연습으로 개념 꽉 잡기 **단계**

 익힘책 문제로 실력 다지기 **단계**

 단원 평가로 실력 체크 **단계**

1 단계 교과서 개념

만화를 보면 개념이 저절로~
간단한 **확인 문제**로 개념을 정리하세요.

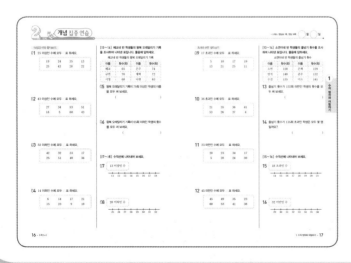

2 단계 개념 집중 연습

교과서 개념 문제를 반복하여 풀어 보면서
개념을 꽉 잡아요.

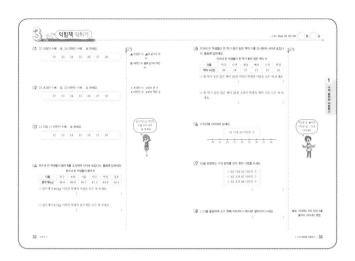

단계 **익힘책 익히기**

익힘책 문제를 풀어 보면서 **실력**을 키워요.

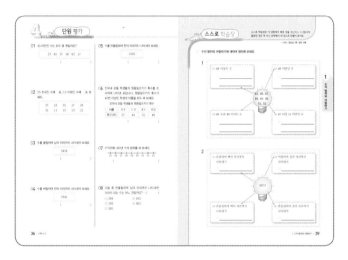

단계 **단원 평가**

한 단원을 마무리하며 스스로 **실력 체크**를 해요.

스스로 학습장

한 단원을 학습한 후 내가 무엇을 알고 무엇을 모르는지 확인하는 코너입니다.

개념클릭만의 모바일 학습

표지 QR 찰칵!

➡ 표지에 있는 **QR코드**를 찍으면 개념 동영상・만화를 학습할 수 있습니다.

도비라 QR 찰칵!

➡ 단원 시작에 있는 **QR코드**를 찍으면 각 단원의 개념 동영상 강의를 볼 수 있습니다.

차례

Contents

수호

활발하고 긍정적인 12세 소년.
먹는 걸 좋아하고 장난을
좋아하며 엉뚱한 성격이다.

수지

수호의 쌍둥이 동생.
활동적이며 수호와 티격태격
자주 싸우지만 수호를 잘
챙겨주는 든든한 동생이다.

윌버 라이트

하늘을 날 수 있다는
꿈을 꾸며 그 믿음으로
비행기를 연구한다.

오빌 라이트

성실하고 긍정적이며
형을 도와 함께
비행기를 연구한다.

랭리 박사

수학과 과학을 좋아하며
비행기를 만들어
많은 돈을 벌고 싶어 한다.

지니

소원을 들어주는 램프의 요정.
수호와 수지가 라이트 형제를
만날 수 있도록 도와준다.

프롤로그

수지야, 오늘 엄마가 출장 갔다 오시는 날이지?

응, 맞아!

이번에도 선물을 사 오셨겠지?

설마 엄마보다 선물을 더 기다린 거야?

어이구~ 언제 철들래?

뭐야! 오빠한테 그게 무슨!

쳇! 1분 먼저 태어났다고 무슨 오빠냐!

1분이라도 먼저 태어난 내가 당연히 오빠라고~.

계속 잘난 척 하면 나 먼저 간다.

같이 가~

엄마, 잘 다녀 오셨어요.

그래, 너희 잘 지냈니?

엄마가 없는 동안 둘이 안 싸우고 잘 지냈지?

그럼요~ 가끔 수호가 철없이 굴긴 했지만요.

뭐라고!

휴~ 엄마가 없는 동안 좀 사이좋게 지내길 바랐건만······.

베~

자꾸 까불래?

맞다! 엄마, 선물은 사 오셨어요?

그래, 그만 싸우고 여기 앉으렴.

자, 여기 선물~.

와~ 시계네요. 설마 커플 시계?

이 시계는 둘이 멀리 있어도 연락이 가능하단다.

그래요? 한번 해 봐야겠다.

1

수의 범위와 어림하기

QR 코드를 찍으면 1단원 개념 동영상 강의를 볼 수 있어요.

이번에 배울 내용

- 이상과 이하 알아보기
- 초과와 미만 알아보기
- 수의 범위를 활용하여 문제 해결하기
- 올림, 버림, 반올림 알아보기
- 올림, 버림, 반올림을 활용하여 문제 해결하기

자… 잠깐!
무슨 소리가
들리지 않았어?

무슨 소리?

넌 누구야?

난 저
호리병에
사는 지니야!

뭐? 저 작은
호리병에 산다고?

저게 얼마나
작은데……. 길이가
얼마더라?

내가 재어
볼게.

호리병의 길이는 9 cm에 가깝기
때문에 약 9 cm야!

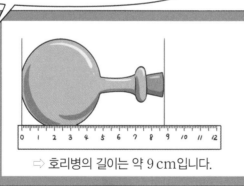

⇨ 호리병의 길이는 약 9 cm입니다.

설마 너,
요정이야? 소원을
들어주는?

응, 내가 소원을
들어주긴 하지!
왜? 소원이 있어?

응! 라이트
형제를 만나
보고 싶어.

지니, 라이트
형제를 만나게
해 줄 수 있어?

그건
쉽지!

펑!

헉! 양탄자가
공중에 떠 있어!

타! 내가 너희를
라이트 형제가 사는
과거로 데려다 줄게.

정말?

얼~

1

수의 범위와 어림하기

준비 학습

1 수직선을 보고 ○ 안에 >, =, <를 알맞게 써넣으세요.

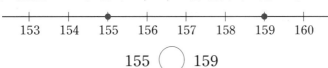

$$155 \bigcirc 159$$

개념 체크 ① ◀ 2학년 1학기 1단원

수직선에서 수의 크기 비교하기

수직선에서 수가 오른쪽에 있을수록 더 큰 수입니다.

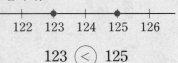

$$123 \bigcirc< 125$$

2 그림을 보고 □ 안에 알맞은 수를 써넣으세요.

(1)

성냥개비의 길이는 약 □ cm입니다.

(2)

머리핀의 길이는 약 □ cm입니다.

개념 체크 ② ◀ 2학년 1학기 4단원

눈금 사이에 있는 길이 재기

길이가 자의 눈금 사이에 있을 때는 눈금과 가까운 쪽에 있는 숫자를 읽으며, 숫자 앞에 약이라고 붙여서 말합니다.

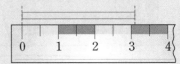

⇨ 끈의 길이는 약 3 cm입니다.

3 두 수의 크기를 비교하여 ○ 안에 >, =, <를 알맞게 써넣으세요.

(1) 25700 ◯ 19200　　(2) 47010 ◯ 54152

(3) 628305 ◯ 697941　(4) 724837 ◯ 724834

개념 체크 ③ ◀ 4학년 1학기 1단원

두 수의 크기 비교하기

자릿수가 같으면 높은 자리 수가 클수록 더 큰 수입니다.

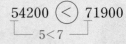

$$54200 \bigcirc< 71900$$

└─ 5<7 ─┘

4 리본 끈의 길이를 어림하고 자로 재어 보세요.

어림한 길이 (   )

자로 잰 길이 (   )

개념 체크 **4** ◀ 2학년 1학기 4단원

길이 어림하기

어림한 길이를 말할 때에는 길이 앞에 약이라고 붙여서 말합니다.

⇨ 리본 끈의 길이를 어림하면 약 4 cm 입니다.

5 그림을 보고 □ 안에 알맞은 수를 써넣으세요.

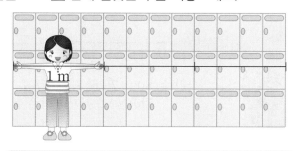

사물함의 길이는 약 □ m입니다.

개념 체크 **5** ◀ 2학년 2학기 3단원

몸의 일부를 이용하여 길이 어림하기

⇨ 나무의 높이는 약 3 m입니다.

6 다음 수를 모두 쓰세요.

214보다 크고 218보다 작은 세 자리 수

(   )

개념 체크 **6** ◀ 2학년 1학기 1단원

두 수 사이에 있는 수 알아보기

• 111보다 크고 115보다 작은 세 자리 수 알아보기

111보다 크고 115보다 작은 세 자리 수에는 111과 115가 포함되지 않습니다.

⇨ 112, 113, 114

1

수의 범위와 어림하기

교과서 **개념**

이상과 이하를 알 수 있나요?

랭리 박사님! 비행기는 언제쯤 완성되나요?

정말 사람이 하늘을 날 수 있나요?

지금 어느 정도 진행 되었나요?

저의 비행기는 거의 완성 단계입니다.

아마도 완성되기까지 남은 시간은 80일 이하 일겁니다.

80일 이하요?

80 이하인 수는 80과 같거나 작은 수이죠.

80 이하인 수: 80.0, 79.5, 79.0, 78.7 등과 같이 80과 같거나 작은 수

75 76 77 78 79 80 81 82 83 84

즉, 완성되기까지 남은 시간은 80일과 같거나 적은 시간 이라는 말입니다.

박사님! 혹시 라이트 형제라고 들어 보셨나요?

라이트 형제라면?

아~ 들어본 적이 있는 것도 같네요.

그들도 비행기를 만들고 있다고 하던데 어떻게 생각하세요?

그 누구도 저보다 먼저 완벽하게 비행기를 만들 수 없을 겁니다.

만들더라도 아마 하늘을 날 순 없겠죠.

조금만 기다려 보세요. 제가 곧 비행기를 완성할테니……

◎ 이상과 이하 알아보기

• 70 이상인 수: 70, 71, 73, 75 등과 같이 $①$ 과 같거나 큰 수

```
┼┼┼┼┼┼┼┼┼┼┼┼┼┼┼┼┼┼┼┼┼┼┼┼┼┼┼┼┼┼┼┼┼┼┼┼┼┼┼
68    69    70    71    72    73    74    75    76    77
```

• 80 이하인 수: 80.0, 79.5, 79.0, 78.7 등과 같이 $②$ 과 같거나 작은 수

```
┼┼┼┼┼┼┼┼┼┼┼┼┼┼┼┼┼┼┼┼┼┼┼┼┼┼┼┼┼┼┼┼┼┼┼┼┼┼┼
75    76    77    78    79    80    81    82    83    84
```

★ 이상인 수와
★ 이하인 수는
★도 포함해요.

○ 정답 ❶ 70 ❷ 80

[1~2] 수의 범위에 들어가는 수에 모두 ◯표 하세요.

1 　8 이상인 수

| 8　14　6　5　10　9 |

8 이상인 수는 8과 같거나 큰 수!

10 이하인 수는 10과 같거나 작은 수예요.

2 　10 이하인 수

| 15　9　14　12　3　5 |

[3~4] 예솔이네 반 학생들의 50 m 달리기 기록을 조사하여 나타낸 표입니다. 물음에 답하세요.

예솔이네 반 학생들의 50 m 달리기 기록

이름	예솔	은석	민주	지민	영은	다솜	중기
시간(초)	10.0	9.5	10.7	8.8	11.0	12.2	9.0

3 50 m 달리기 기록이 10초 이하인 학생은 모두 몇 명일까요?

(　　　　　　　　　)

4 50 m 달리기 기록이 11초 이상인 학생의 이름을 모두 써 보세요.

(　　　　　　　　　)

오빌~ 거기 자 좀 줘.

잠깐만~

역시 길이가 맞질 않네.

길이가 21 cm로 22 cm 미만이네.

미만?

22 미만인 수는 22보다 작은 수야.

22 미만인 수: 21.5, 20.0, 19.8 등과 같이 22보다 작은 수

15 16 17 18 19 20 21 22 23 24

그럼 22 cm보다 짧다는 거구나.

응! 이건 다시 만들어야겠어.

형, 재료가 다 떨어졌는데······.

벌써?

재료를 사려면 돈이 부족할텐데······.

그건 걱정 마!

저번에 만들어 둔 자전거 라이트를 팔면 돼.

뭐야? 아직 비행기를 완성하지도 못했군.

괜히 긴장했네! 어서 돌아가서 비행기를 완성해야지.

다 다 다

◎ **초과와 미만 알아보기**

• 19 초과인 수: 19.4, 20.9, 22.0 등과 같이 [❶___] 보다 큰 수

```
├┼┼┼┼┼┼┼┼┼┼┼┼┼┼┼┼┼┼┼┼┼┼┼┼┼┤
17   18   19   20   21   22   23   24   25   26
```

• 22 미만인 수: 21.5, 20.0, 19.8 등과 같이 [❷___] 보다 작은 수

```
├┼┼┼┼┼┼┼┼┼┼┼┼┼┼┼┼┼┼┼┼┼┼┼┼┤
16   17   18   19   20   21   22   23   24   25
```

◆ 초과인 수와
◆ 미만인 수는
◆ 를 포함하지 않아요.

◯ 정답 ❶ 19 ❷ 22

1

수의 범위와 어림하기

[1~2] 수의 범위에 들어가는 수에 모두 ◯표 하세요.

1 ┌ 7 초과인 수 ┐ → 7을 포함하지 않아요.

┌─────────────────────────┐
│ 12   5   7   8   10   4 │
└─────────────────────────┘

2 ┌ 12 미만인 수 ┐ → 12를 포함하지 않아요.

┌─────────────────────────┐
│ 16   11   15   12   10   13 │
└─────────────────────────┘

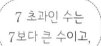

7 초과인 수는 7보다 큰 수이고,

12 미만인 수는 12보다 작은 수예요.

[3~4] 효빈이네 반 학생들의 제자리멀리뛰기 기록을 조사하여 나타낸 표입니다. 물음에 답하세요.

효빈이네 반 학생들의 제자리멀리뛰기 기록

이름	효빈	슬기	민주	하늘	재준	은재	지후
거리(cm)	135.0	135.8	140.0	143.5	137.2	140.8	142.4

3 제자리멀리뛰기 기록이 140 cm 미만인 학생의 이름을 모두 써 보세요.

( )

4 제자리멀리뛰기 기록이 140.8 cm 초과인 학생은 모두 몇 명일까요?

( )

2 단계

이상과 이하 알아보기

01 25 이상인 수에 모두 ○표 하세요.

| 19 | 24 | 35 | 13 |
| 25 | 43 | 28 | 22 |

02 43 이상인 수에 모두 ○표 하세요.

| 27 | 34 | 53 | 51 |
| 16 | 5 | 60 | 43 |

03 32 이하인 수에 모두 △표 하세요.

| 42 | 32 | 33 | 17 |
| 25 | 51 | 40 | 36 |

04 14 이하인 수에 모두 △표 하세요.

| 6 | 14 | 17 | 21 |
| 15 | 23 | 9 | 18 |

[05~06] 혜교네 반 학생들의 왕복 오래달리기 기록을 조사하여 나타낸 표입니다. 물음에 답하세요.

혜교네 반 학생들의 왕복 오래달리기 기록

이름	횟수(회)	이름	횟수(회)
혜교	65	은주	74
규빈	70	재혁	72
시영	68	다현	63

05 왕복 오래달리기 기록이 70회 이상인 학생의 이름을 모두 써 보세요.

( )

06 왕복 오래달리기 기록이 65회 이하인 학생의 횟수를 모두 써 보세요.

( )

[07~08] 수직선에 나타내어 보세요.

07 13 이상인 수

11 12 13 14 15 16 17 18

08 28 이하인 수

25 26 27 28 29 30 31 32

초과와 미만 알아보기

09 17 초과인 수에 모두 ◯표 하세요.

5	10	17	19
13	21	25	11

10 36 초과인 수에 모두 ◯표 하세요.

21	35	36	41
53	26	37	4

11 23 미만인 수에 모두 △표 하세요.

20	23	34	17
5	28	24	30

12 45 미만인 수에 모두 △표 하세요.

45	49	35	23
60	53	41	38

[13～14] 소연이네 반 학생들의 줄넘기 횟수를 조사하여 나타낸 표입니다. 물음에 답하세요.

소연이네 반 학생들의 줄넘기 횟수

이름	횟수(회)	이름	횟수(회)
소연	128	은혁	129
민석	140	준우	132
수진	135	미소	141

13 줄넘기 횟수가 132회 미만인 학생의 횟수를 모두 써 보세요.

(　　　　　　　　　　)

14 줄넘기 횟수가 135회 초과인 학생은 모두 몇 명일까요?

(　　　　　　　　　　)

[15～16] 수직선에 나타내어 보세요.

15 ┌─────────────┐
　　 │ 18 초과인 수 │
　　 └─────────────┘

16 ┌─────────────┐
　　 │ 32 미만인 수 │
　　 └─────────────┘

◎ 수의 범위를 수직선에 나타내기

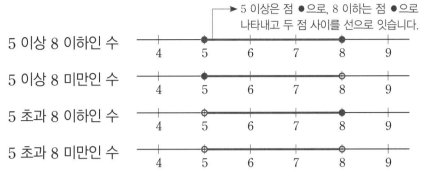

→ 5 이상은 점 ●으로, 8 이하는 점 ●으로
나타내고 두 점 사이를 선으로 잇습니다.

5 이상 8 이하인 수

5 이상 8 미만인 수

5 초과 8 이하인 수

5 초과 8 미만인 수

이상, 이하는 점 ●으로,
초과, **❶** 은
점 ○으로 나타내요.

◐ 정답 ❶ 미만

1 12 이상 17 미만인 수에 모두 ◯표 하세요.

10   11   12   13   14   15   16   17   18

12 이상 17 미만인
수에는 12는 포함되고
17은 포함되지 않아요.

1
수
의
범
위
와
어
림
하
기

[2~4] 몸무게가 48 kg인 초등학생 석현이가 씨름 대회에 참가하려고 합니다. 몸무게에 따른 선수들의 체급을 나타낸 표를 보고 물음에 답하세요.

체급별 몸무게(초등학생용)

체급	몸무게(kg)
경장급	40 이하
소장급	40 초과 45 이하
청장급	45 초과 50 이하
용장급	50 초과 55 이하

2 몸무게가 48 kg인 석현이는 어느 체급에 속할까요?

(   )

3 석현이가 속한 체급의 몸무게의 범위를 써 보세요.

(   )

4 석현이가 속한 체급의 몸무게 범위를 수직선에 나타내어 보세요.

40   45   50   55   60   65

뭐… 뭐야?

너희는 누구니?

안녕하세요! 혹시 라이트 형제 아저씨들이신가요?

전 소원을 들어주는 지니!

전 수호, 얘는 제 동생 수지예요.

그런데 너희, 여기 왜 온 거니?

아저씨들이 비행기 만드는 걸 도우러 왔죠.

우린 너희 같은 꼬맹이들의 도움은 필요없어.

맞아, 우린 우리 힘으로…….

자, 여길 보세요.

반 짝

아~ 그러고 보니 마침 도움이 필요했는데 잘 됐다.

맞아!

날개를 만들 때 필요한 철사가 184 m인데 가게에서는 10 m씩만 팔아.

그럼 철사를 최소 몇 m 사야 할까?

10 m씩 파니까 180 m를 사면 부족하니 190 m를 사야죠. 즉, 올림을 이용하면 돼요.

오~

184를 올림하여 십의 자리까지 나타내면 190이므로 최소 190 m를 사면 돼요.

〈184를 올림하여 십의 자리까지 나타내기〉

$184 \Rightarrow 190$

4를 10으로 보고 올립니다.

◎ 올림 알아보기

• 올림: 구하려는 자리 아래 수를 올려서 나타내는 방법

예 〈184를 올림하여 십의 자리까지 나타내기〉

$$184 \Rightarrow 190$$

4를 10으로 보고 올립니다.

〈184를 올림하여 백의 자리까지 나타내기〉

$$184 \Rightarrow \boxed{❶}$$

84를 100으로 보고 올립니다.

올림하여 백의 자리까지 나타내라는 말은 '백의 자리 아래 수'를 올려서 나타내라는 뜻!

○ 정답   ❶ 200

1 **수의 범위와 어림하기**

---

1 올림하여 주어진 자리까지 나타내어 보세요.

수	십의 자리	백의 자리
253		
431		

[2~3] 보기 와 같이 올림하여 소수 첫째 자리까지 나타내어 보세요.

보기

$$5.52 \Rightarrow 5.6$$

올립니다.

소수 첫째 자리 아래 수를 올려서 나타내요.

2 4.65 ⇨ [ ]

3 7.14 ⇨ [ ]

[4~5] 1000원짜리 지폐로 4520원인 물건을 사려고 합니다. 최소 얼마가 필요한지 알아보세요.

4 4520을 올림하여 천의 자리까지 나타내면 얼마일까요?

(   )

5 1000원짜리 지폐로 4520원인 물건을 사려면 최소 얼마가 필요할까요?

(   )

2 단계

개념 집중 연습

수의 범위를 활용하여 문제 해결하기

01 21 이상 25 미만인 수에 모두 ○표 하세요.

17	18	19	20	21
22	23	24	25	26

02 35 이상 39 이하인 수에 모두 ○표 하세요.

32	33	34	35	36
37	38	39	40	41

03 5 초과 11 미만인 수에 모두 ○표 하세요.

4	5	6	7	8
9	10	11	12	13

04 16 초과 20 이하인 수에 모두 ○표 하세요.

14	15	16	17	18
19	20	21	22	23

[05~06] 수직선에 나타내어 보세요.

05
11 이상 15 미만인 수
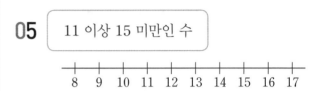

06
20 초과 25 이하인 수
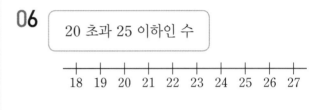

[07~09] 수직선에 나타낸 수의 범위를 써 보세요.

07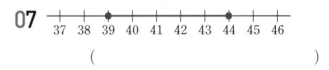

( )

08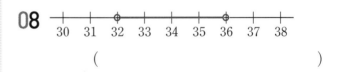

( )

09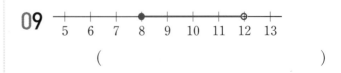

( )

올림 알아보기

[10～12] 주어진 수를 올림하여 십의 자리까지 나타낸 수에 ◯표 하세요.

10 253 ⇨ (240, 250, 260)

11 324 ⇨ (320, 330, 340)

12 5213 ⇨ (5210, 5220, 5230)

[13～15] 주어진 수를 올림하여 백의 자리까지 나타낸 수에 ◯표 하세요.

13 754 ⇨ (700, 800, 900)

14 4752 ⇨ (4600, 4700, 4800)

15 9236 ⇨ (9100, 9200, 9300)

[16～18] 주어진 수를 올림하여 천의 자리까지 나타낸 수에 ◯표 하세요.

16 4237 ⇨ (4000, 5000, 6000)

17 2509 ⇨ (1000, 2000, 3000)

18 6034 ⇨ (7000, 8000, 9000)

[19～20] 보기 와 같이 올림하여 소수 둘째 자리까지 나타내어 보세요.

보기

$$4.312 \Rightarrow 4.32$$
올립니다.

19 3.704 ⇨ ☐

20 7.035 ⇨ ☐

1
수의 범위와 어림하기

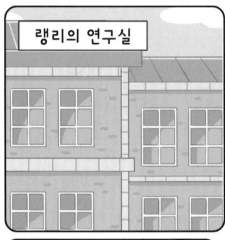

랭리의 연구실

나보다 라이트 형제가 먼저 비행기를 완성하면 어쩌지?

이대로 내가 질 수 없어.

사람들이 모두 내게 큰 기대를 하고 있는데…….

나는 실패하고 그들이 먼저 성공한다면…….

생각만 해도 끔찍해!

이 불안한 마음을 버리자.

오늘의 퀴즈? 756을 버림하여 십의 자리까지 나타내라고?

그래, 이 불안한 마음을 버림 문제를 풀면서 버리자.

버림은 구하려는 자리 아래 수를 버려서 나타내는 방법으로 756을 버림하여 십의 자리까지 나타내면 750이지. 그런데…….

〈756을 버림하여 십의 자리까지 나타내기〉

$$756 \Rightarrow 750$$

6을 0으로 보고 버립니다.

불안한 마음을 버릴 수가 없어! 내가 꼭 먼저 성공할 거야!

◎ 버림 알아보기

• 버림: 구하려는 자리 아래 수를 버려서 나타내는 방법

예 〈756을 버림하여 십의 자리까지 나타내기〉

$$756 \Rightarrow 750$$

6을 0으로 보고
버립니다.

〈756을 버림하여 백의 자리까지 나타내기〉

$$7\underline{56} \Rightarrow \boxed{❶}$$

56을 0으로
보고 버립니다.

버림하여 백의
자리까지 나타내려면
백의 자리 아래 수를
0으로 보고 버려요.

◎ 정답   ❶ 700

1

수의 범위와 어림하기

1 버림하여 주어진 자리까지 나타내어 보세요.

수	십의 자리	백의 자리
528		
659		

[2~3] 보기 와 같이 버림하여 소수 첫째 자리까지 나타내어 보세요.

소수 첫째 자리
아래 수를 버려서
나타내요.

보기

$$2.7\underline{14} \Rightarrow 2.7$$

버립니다.

2 $4.804 \Rightarrow \boxed{}$ **3** $6.134 \Rightarrow \boxed{}$

[4~5] 탁구공 748개를 한 상자에 10개씩 담으려고 합니다. 최대 몇 개까지 담을 수 있는지 알아보세요.

4 748을 버림하여 십의 자리까지 나타내면 얼마일까요?

(   )

5 탁구공 748개를 한 상자에 10개씩 담는다면 최대 몇 개까지 담을 수 있을까요?

(   )

교과서 개념

반올림을 알 수 있나요?

며칠 후

오늘은 늦었으니 이만 정리하자.

응! 늦어서 그런지 배고프네.

그럴 줄 알고 제가 빵을 준비했죠!

맛있겠다.

모두 맛있게 드세요.

우아~

그 빵은 엄청 크네요.

이건 수지가 먹으렴.

잠깐, 내가 오빠니까 그건 나에게 양보해!

싫어, 내가 먹을 거야.

싸우지 말고 내가 낸 문제를 먼저 맞히는 사람이 먹는 건 어때?

4282를 반올림하여 십의 자리까지 나타내면 얼마일까?

4282

내가 맞혀볼게!!

반올림은 구하려는 자리 바로 아래 자리의 숫자가 0, 1, 2, 3, 4이면 버리고 5, 6, 7, 8, 9 이면 올리는 방법으로 답은 4280이지.

〈4282를 반올림하여 십의 자리까지 나타내기〉

4282 ⇨ 4280

2이므로
버립니다.

내가 먼저 맞혔으니 빵 이리 줘.

훗! 내가 벌써 먹었지롱~.

쿡쿡

◎ 반올림 알아보기

• 반올림: 구하려는 자리 바로 아래 자리의 숫자가 0, 1, 2, 3, 4이면

버리고 5, 6, 7, 8, 9이면 올리는 방법

예 〈4282를 반올림하여 십의 자리까지 나타내기〉

4282 ⇨ 4280
2이므로 버립니다.

〈4282를 반올림하여 백의 자리까지 나타내기〉

4282 ⇨
8이므로 올립니다.

반올림하여 백의
자리까지 나타내려면
십의 자리 숫자를
보고 올릴지 버릴지
알아봐요.

○ 정답 ❶ 4300

1 반올림하여 주어진 자리까지 나타내어 보세요.

수	백의 자리	천의 자리
5204		
7685		

구하려는 자리 바로 아래
자리의 숫자를 보고
반올림하여 나타내요.

[2~4] 성훈이는 걷기 활동에 참가하여 4283걸음을 걸었습니다. 성훈이는 약 몇십 걸음 걸었는지 알아보세요.

2 성훈이의 걸음 수를 수직선에 ↓로 나타내어 보세요.

3 4283은 4280과 4290 중에서 어느 쪽에 더 가까울까요?

( )

4 성훈이는 약 몇십 걸음을 걸었다고 할 수 있을까요?

( )

교과서 개념

올림, 버림, 반올림을 어떻게 활용하나요?

다음 날

오늘은 날씨가 괜찮아.

응! 연습하기 좋은 날씨야.

드디어 오늘 첫 비행이네요.

응! 그럼 날려볼까?

투

웅

악

촤

날았어, 진짜로 날았어. 무려 12.8 m나 날았어.

응! 비행거리를 반올림하여 나타낼 수도 있어.

12.8 m를 반올림하여 일의 자리까지 나타내면 13 m야!

〈반올림하여 일의 자리까지 나타내기〉

12.8 ⇨ 13

8이므로 올립니다.

우리는 열정적인 형제! 라이트 형제지!

이제 곧 사람이 타고 날 수도 있겠어요.

앞으로 저희가 더 열심히 도울게요.

뭐야? 벌써 비행 연습을 하는 거야? 역시 만만히 볼 상대가 아니었어!

그래, 그 방법을 써 보면 되겠다!

◎ 올림, 버림, 반올림을 활용하여 문제 해결하기

• 올림을 활용하여 문제 해결하기

등산객 142명이 케이블카를 타고 전망대에 오르려고 합니다. 케이블카 한 대에 탈 수 있는 정원이 10명일 때 142명을 올림하여 십의 자리까지 나타내면 ❶⬚ 명이므로 케이블카는 최소 15번 운행해야 합니다.

• 버림을 활용하여 문제 해결하기

상품 한 개를 포장하려면 끈 100 cm가 필요합니다. 끈 942 cm를 버림하여 백의 자리까지 나타내면 900 cm이므로 끈 942 cm로 상품을 최대 ❷⬚ 개까지 포장할 수 있습니다.

• 반올림을 활용하여 문제 해결하기

비행거리 12.8 m를 반올림하여 일의 자리까지 나타내면 13 m입니다.

◐ 정답 ❶ 150 ❷ 9

1

수의 범위와 어림하기

[1~2] 유주네 과수원에서 사과를 824개 수확했습니다. 사과를 100개씩 상자에 담아 포장한다면 최대 몇 상자를 포장할 수 있는지 알아보세요.

1 올림, 버림, 반올림 중에서 어떤 방법으로 어림해야 좋을까요? ( )

2 사과를 최대 몇 상자 포장할 수 있을까요? ( )

[3~4] 혜정이네 학교 학생 348명에게 공책을 한 권씩 나누어 주려고 합니다. 문구점에서 공책을 10권씩 묶음으로만 판다면 최소 몇 권을 사야 하는지 알아보세요.

3 올림, 버림, 반올림 중에서 어떤 방법으로 어림해야 좋을까요? ( )

4 공책을 최소 몇 권 사야 할까요? ( )

5 모아네 모둠 친구들의 키를 조사하여 나타낸 표입니다. 반올림하여 일의 자리까지 나타내어 보세요.

모아네 모둠 친구들의 키

이름	모아	승규	유리
키(cm)	147.5	136.2	151.3
반올림한 키(cm)			

소수 첫째 자리 숫자가 0, 1, 2, 3, 4이면 버리고 5, 6, 7, 8, 9이면 올려요.

버림 알아보기

[01~02] 주어진 수를 버림하여 십의 자리까지 나타낸 수에 ◯표 하세요.

01 524 ⇨ (510, 520, 530)

02 785 ⇨ (780, 790, 800)

[03~04] 주어진 수를 버림하여 백의 자리까지 나타낸 수에 ◯표 하세요.

03 325 ⇨ (200, 300, 400)

04 6248 ⇨ (6100, 6200, 6300)

[05~06] 주어진 수를 버림하여 천의 자리까지 나타낸 수에 ◯표 하세요.

05 2038 ⇨ (2000, 3000, 4000)

06 4352 ⇨ (4000, 5000, 6000)

[07~08] 와 같이 버림하여 소수 둘째 자리까지 나타내어 보세요.

> **보기**
>
> 5.482 ⇨ 5.48
> 버립니다.

07 9.245 ⇨ [   ]

08 5.412 ⇨ [   ]

반올림 알아보기

[09~11] 주어진 수를 반올림하여 십의 자리까지 나타낸 수에 ◯표 하세요.

09 2548 ⇨ (2540, 2550, 2560)

10 1754 ⇨ (1740, 1750, 1760)

11 8205 ⇨ (8200, 8210, 8220)

[12~14] 주어진 수를 반올림하여 백의 자리까지 나타낸 수에 ○표 하세요.

12 | 1704 | ⇨ (1600, 1700, 1800)

13 | 2948 | ⇨ (2800, 2900, 3000)

14 | 5194 | ⇨ (5000, 5100, 5200)

[15~17] 보기 와 같이 반올림하여 소수 첫째 자리까지 나타내어 보세요.

> 보기
>
> 2.483 ⇨ 2.5
> 올립니다.

15 8.335 ⇨ [　　]

16 3.072 ⇨ [　　]

17 7.435 ⇨ [　　]

올림, 버림, 반올림을 활용하여 문제 해결하기

18 보영이네 밭에서 고구마를 478 kg 캤습니다. 이 고구마를 10 kg씩 상자에 담아 판다면 팔 수 있는 고구마는 최대 몇 상자일까요?

> 478을 버림하여 십의 자리까지 나타내면
> [　　]이므로 고구마는 최대 [　　]상자를 팔 수 있습니다.

19 윤호네 학교 학생은 모두 1784명입니다. 윤호네 학교 학생 수를 반올림하여 나타내면 약 몇백 명일까요?

> 1784를 반올림하여 백의 자리까지 나타내면 [　　]이므로 윤호네 학교 학생 수는 약 [　　]명입니다.

20 운동회에 참가한 학생 564명에게 연필을 한 자루씩 나누어 주려고 합니다. 연필은 10자루씩 묶음으로만 판다면 최소 몇 자루 사야 할까요?

> 564를 올림하여 십의 자리까지 나타내면 [　　]이므로 연필은 최소 [　　]자루를 사야 합니다.

1

수의 범위와 어림하기

3 단계

01 37 이상인 수에 ○표, 35 이하인 수에 △표 하세요.

| 32 | 33 | 34 | 35 | 36 | 37 | 38 |

02 25 초과인 수에 ○표, 25 미만인 수에 △표 하세요.

| 22 | 23 | 24 | 25 | 26 | 27 | 28 |

03 13 이상 17 미만인 수에 ○표 하세요.

| 12 | 13 | 14 | 15 | 16 | 17 | 18 |

13 이상 17 미만인 수를 모두 찾아 ○표 해 봐요.

04 희수네 반 학생들의 몸무게를 조사하여 나타낸 표입니다. 물음에 답하세요.

희수네 반 학생들의 몸무게

이름	희수	보람	서윤	민수	연정	정후
몸무게(kg)	46.0	60.8	45.7	47.2	44.0	54.5

(1) 몸무게가 46 kg 이상인 학생의 이름을 모두 써 보세요.

(   )

(2) 몸무게가 47 kg 이하인 학생의 몸무게를 모두 써 보세요.

(   )

05 민규네 반 학생들이 한 학기 동안 읽은 책의 수를 조사하여 나타낸 표입니다. 물음에 답하세요.

민규네 반 학생들이 한 학기 동안 읽은 책의 수

이름	민규	다연	재성	예서	수진	민정
책의 수(권)	26	18	27	12	25	32

⑴ 한 학기 동안 읽은 책이 26권 미만인 학생의 이름을 모두 써 보세요.

(   )

⑵ 한 학기 동안 읽은 책이 26권 초과인 학생의 책의 수를 모두 써 보세요.

(   )

06 수직선에 나타내어 보세요.

21 이상 25 미만인 수

20 21 22 23 24 25 26 27 28

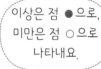

이상은 점 ●으로,
미만은 점 ○으로
나타내요.

07 63을 포함하는 수의 범위를 모두 찾아 기호를 쓰세요.

㉠ 63 이상 65 미만인 수
㉡ 63 초과 67 이하인 수
㉢ 62 초과 66 미만인 수

(   )

08 1.23을 올림하여 소수 첫째 자리까지 나타내면 얼마인지 쓰세요.

(   )

• 올림: 구하려는 자리 아래 수를 올려서 나타내는 방법

1

수의 범위와 어림하기

09 5.436을 버림하여 소수 첫째 자리까지 나타내면 얼마인지 쓰세요.

( )

Tip

버림은 구하려는 자리 아래 수를 버려서 나타내는 방법이에요.

10 어림한 후, 어림한 수의 크기를 비교하여 ○ 안에 >, =, <를 알맞게 써 넣으세요.

(1)
| 337을 올림하여 십의 자리까지 나타낸 수
⇨ ☐ | ○ | 318을 올림하여 백의 자리까지 나타낸 수
⇨ ☐ |

(2)
| 2463을 버림하여 백의 자리까지 나타낸 수
⇨ ☐ | ○ | 2954를 버림하여 천의 자리까지 나타낸 수
⇨ ☐ |

11 반올림하여 주어진 자리까지 나타내어 보세요.

수	십의 자리	백의 자리	천의 자리
7814			

• 반올림: 구하려는 자리 바로 아래 자리의 숫자가 0, 1, 2, 3, 4이면 버리고 5, 6, 7, 8, 9이면 올리는 방법

12 버림하여 백의 자리까지 나타내면 3800이 되는 자연수 중에서 가장 큰 수를 써 보세요.

( )

13 □ 안에 들어갈 수 있는 일의 자리 숫자를 모두 구하세요.

이 수를 반올림하여 십의 자리까지 나타내면 4160이에요.

415□

(   )

반올림하여 십의 자리까지 나타내려면 일의 자리 숫자를 살펴봐요.

14 은우는 서점에서 18400원짜리 동화책 한 권을 샀습니다. 1000원짜리 지폐로만 책값을 낸다면 최소 얼마를 내야 할까요?

(   )

• 1000원짜리 지폐로만 내야 하므로 올림을 이용합니다.

15 공장에서 과자를 3517봉지 만들었습니다. 한 상자에 10봉지씩 담아서 판다면 팔 수 있는 과자는 최대 몇 상자일까요?

(   )

• 10봉지씩 담아서 팔므로 버림을 이용합니다.

16 혜정이네 모둠 친구들의 멀리뛰기 기록을 조사하여 나타낸 표입니다. 뛴 거리를 반올림하여 일의 자리까지 나타내어 보세요.

혜정이네 모둠 친구들의 멀리뛰기 기록

이름	혜정	승우	정훈	은서
뛴 거리(cm)	137.6	106.5	114.3	122.7
반올림한 거리(cm)				

01 45 미만인 수는 모두 몇 개일까요?

| 23 45 37 58 62 17 |

( )

02 25 초과인 수에 ○표, 15 이하인 수에 △표 하세요.

| 27 18 25 17 20 |
| 31 11 15 13 21 |

03 수를 올림하여 십의 자리까지 나타내어 보세요.

| 2458 |

( )

04 수를 버림하여 천의 자리까지 나타내어 보세요.

| 7841 |

( )

05 수를 반올림하여 천의 자리까지 나타내어 보세요.

| 5395 |

( )

06 진우네 모둠 학생들의 윗몸일으키기 횟수를 조사하여 나타낸 표입니다. 윗몸일으키기 횟수가 40번 이상인 학생의 이름을 모두 써 보세요.

진우네 모둠 학생들의 윗몸일으키기 횟수

이름	진우	수진	경수	희준
횟수(번)	27	44	35	40

( )

07 수직선에 나타낸 수의 범위를 써 보세요.

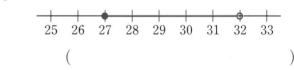

( )

08 다음 중 반올림하여 십의 자리까지 나타내면 300이 되는 수는 어느 것일까요? …… ( )

① 289　　　　② 292

③ 285　　　　④ 302

⑤ 305

09 주어진 수를 올림, 버림하여 천의 자리까지 나타내어 보세요.

수	올림	버림
52379		

[10~11] 수직선에 나타내어 보세요.

10

20 미만인 수

```
+---+---+---+---+---+---+---+---+
16  17  18  19  20  21  22  23  24
```

11

14 초과 19 이하인 수

```
+---+---+---+---+---+---+---+---+
13  14  15  16  17  18  19  20
```

12 정원이 45명인 버스에 다음과 같이 사람이 타고 있습니다. 정원을 초과한 버스를 찾아 기호를 써 보세요.

가 42명 나 47명 다 45명

( )

[13~14] 학생들의 오래매달리기 기록과 기록별 점수를 나타낸 표입니다. 물음에 답하세요.

오래매달리기 기록

이름	기록(초)	이름	기록(초)
용균	42	수진	17
형진	37	미형	22
은영	26	민식	35

기록별 점수

점수	기록(초)
1점	25 미만
2점	25 이상 30 미만
3점	30 이상

13 은영이가 속한 기록의 범위를 써 보세요.

( )

14 은영이가 속한 기록의 범위를 수직선에 나타내어 보세요.

```
+---+---+---+---+---+---+---+---+
24  25  26  27  28  29  30  31  32
```

15 15 이상 19 미만인 자연수를 모두 더하면 얼마일까요?

( )

[16~17] 영진이는 언니와 함께 미술관에 갔습니다. 미술관 입장료를 보고 물음에 답하세요.

16 11살인 영진이와 16살인 언니는 각각 입장료로 얼마를 내야 할까요?

영진 (   )

언니 (   )

17 영진이와 언니가 낸 입장료는 모두 몇천 원인지 반올림하여 천의 자리까지 나타내어 보세요.

(   )

18 반올림하여 천의 자리까지 나타낸 수가 나머지와 다른 하나를 찾아 기호를 쓰세요.

㉠ 73428	㉡ 73562
㉢ 73080	㉣ 72852

(   )

19 선물을 한 개 포장하는 데 색 테이프 1 m가 필요합니다. 색 테이프 780 cm로 선물을 최대 몇 개 포장할 수 있을까요?

(   )

20 수 카드 5장을 한 번씩만 사용하여 가장 큰 다섯 자리 수를 만들고, 만든 다섯 자리 수를 반올림하여 백의 자리까지 나타내어 보세요.

5   1   3   7   9

(   )

스스로 **학습장**

스스로 학습장은 이 단원에서 배운 것을 확인하는 코너입니다.
몰랐던 것은 꼭 다시 공부해서 내 것으로 만들어 보아요.

• 스피드 정답표 2쪽, 정답 19쪽

☀ 수의 범위와 어림하기에 대하여 정리해 보세요.

1

(1) 48 이상인 수

⇨ _____

_____

(2) 49 미만인 수

⇨ _____

_____

45, 46, 47,
48, 49, 50,
51, 52

(3) 46 초과 49 이하인 수

⇨ _____

_____

(4) 47 이상 51 미만인 수

⇨ _____

_____

2

(1) 올림하여 백의 자리까지
나타내기

⇨ _____

(2) 버림하여 십의 자리까지
나타내기

⇨ _____

5073

(3) 반올림하여 백의 자리까지
나타내기

⇨ _____

(4) 반올림하여 천의 자리까지
나타내기

⇨ _____

2

분수의 곱셈

QR 코드를 찍으면 2단원 개념 동영상 강의를 볼 수 있어요.

📖 이번에 배울 내용

- (진분수)×(자연수)의 계산
- (대분수)×(자연수)의 계산
- (자연수)×(진분수)의 계산
- (자연수)×(대분수)의 계산
- 진분수의 곱셈
- 여러 가지 분수의 곱셈

아저씨, 뭐하세요?

오늘 한 시험 비행에 대해 정리 중이야.

그건 왜요?

이렇게 정리해 두면 나중에 찾아 보기도 쉽고, 또…….

이건 우리의 비행기 연구 자료가 되는 거지.

저, 한번 봐도 돼요?

응! 대신 찢어지지 않게 조심해줘.

여기에는 지금까지 우리의 모든 노력이 담겨 있거든~.

참! 우리 파티를 하자.

오늘 시험 비행이 대성공이었잖아. 축하해야지!!!

야호! 파티다!

왠지 실망한 표정인데?

에~거우 피자라니~

피자도 좋지만, 파티라길래 고기를 굽는 줄 알고……

나도…

오늘은 피자를 먹고 비행기에 사람이 타고 하늘을 나는 그날에 고기 파티를 하자.

좋아요! 비행기는 곧 완성될테니~

야호

그럼 피자를 먹어볼까?

피자 한 판이 똑같이 10조각으로 나뉘어 있으니 먼저 한 판을 2조각씩 먹어요.

아~ $\frac{2}{10}$씩 먹으면 되지? $\frac{2}{10}$는 약분하면 $\frac{1}{5}$과 같아.

약분?

분모와 분자를 공약수로 나누어 간단히 하는 것을 약분한다고 하고 $\frac{2}{10}$는 분모와 분자를 각각 2로 나누어 약분하면 $\frac{1}{5}$이야.

〈약분하기〉

$$\frac{\overset{1}{\cancel{2}}}{\underset{5}{\cancel{10}}} = \frac{1}{5}$$

아~ 그럼 이제 우리 피자를 먹자.

그래~

와구 와구

헐~

뭐야… 혼자서 피자 한 판을 다 먹는 거야?

켁켁

혼자 다 먹으니 그러지~

1 진분수는 '진', 가분수는 '가'를 쓰세요.

(1) $\dfrac{4}{7}$ ⇨ (   )　　(2) $\dfrac{9}{8}$ ⇨ (   )

(3) $\dfrac{8}{5}$ ⇨ (   )　　(4) $\dfrac{5}{9}$ ⇨ (   )

2 대분수를 가분수로 나타내어 보세요.

(1) $1\dfrac{1}{3} = \dfrac{\boxed{}}{\boxed{}}$　　(2) $2\dfrac{2}{5} = \dfrac{\boxed{}}{\boxed{}}$

3 가분수를 대분수로 나타내어 보세요.

(1) $\dfrac{7}{6} = \boxed{}\dfrac{\boxed{}}{\boxed{}}$　　(2) $\dfrac{10}{7} = \boxed{}\dfrac{\boxed{}}{\boxed{}}$

4 분수를 약분해 보세요.

(1) $\dfrac{9}{12} = \dfrac{9 \div 3}{12 \div \boxed{}} = \dfrac{3}{\boxed{}}$

(2) $\dfrac{8}{16} = \dfrac{8 \div \boxed{}}{16 \div 4} = \dfrac{\boxed{}}{4}$

개념 체크 ① ◀ 3학년 2학기 4단원

진분수, 가분수 알아보기
- 진분수: 분자가 분모보다 작은 분수
- 가분수: 분자가 분모와 같거나 분모보다 큰 분수

개념 체크 ② ◀ 3학년 2학기 4단원

대분수를 가분수로 나타내기

$1\dfrac{1}{4}$ ⟨ $1 = \dfrac{4}{4}$, $\dfrac{1}{4}$ ⟩ ⇨ $\dfrac{5}{4}$

개념 체크 ③ ◀ 3학년 2학기 4단원

가분수를 대분수로 나타내기

$\dfrac{7}{4}$ ⟨ $\dfrac{4}{4} = 1$, $\dfrac{3}{4}$ ⟩ ⇨ $1\dfrac{3}{4}$

개념 체크 ④ ◀ 5학년 1학기 4단원

약분 알아보기
- 약분: 분모와 분자를 공약수로 나누어 간단히 하는 것

$$\dfrac{4}{12} = \dfrac{4 \div 4}{12 \div 4} = \dfrac{1}{3}$$

$$\dfrac{\overset{1}{\cancel{4}}}{\underset{3}{\cancel{12}}} = \dfrac{1}{3}$$

5 $\dfrac{5}{6}+\dfrac{7}{8}$ 을 두 분모의 최소공배수를 공통분모로 하여 통분한 후 계산해 보세요.

$$\dfrac{5}{6}+\dfrac{7}{8}=\dfrac{5\times4}{6\times4}+\dfrac{7\times\boxed{}}{8\times3}=\dfrac{20}{24}+\dfrac{\boxed{}}{24}$$

$$=\dfrac{\boxed{}}{24}=\boxed{}\dfrac{\boxed{}}{24}$$

개념 체크 ⑤ ◀ 5학년 1학기 5단원

분모가 다른 진분수의 덧셈

$$\dfrac{3}{4}+\dfrac{7}{10}=\dfrac{3\times5}{4\times5}+\dfrac{7\times2}{10\times2}$$

$$=\dfrac{15}{20}+\dfrac{14}{20}$$

$$=\dfrac{29}{20}=1\dfrac{9}{20}$$

6 분수의 덧셈을 계산해 보세요.

(1) $3\dfrac{3}{5}+1\dfrac{1}{4}$

(2) $1\dfrac{5}{7}+1\dfrac{2}{3}$

개념 체크 ⑥ ◀ 5학년 1학기 5단원

분모가 다른 대분수의 덧셈

$$1\dfrac{2}{5}+1\dfrac{3}{4}=1\dfrac{8}{20}+1\dfrac{15}{20}$$

$$=2+1\dfrac{3}{20}$$

$$=3\dfrac{3}{20}$$

7 분수의 뺄셈을 계산해 보세요.

(1) $4\dfrac{1}{3}-2\dfrac{2}{5}$

(2) $5\dfrac{1}{10}-3\dfrac{3}{4}$

개념 체크 ⑦ ◀ 5학년 1학기 5단원

분모가 다른 대분수의 뺄셈

$$2\dfrac{1}{4}-1\dfrac{2}{5}=2\dfrac{5}{20}-1\dfrac{8}{20}$$

$$=1\dfrac{25}{20}-1\dfrac{8}{20}$$

$$=\dfrac{17}{20}$$

2

분수의 곱셈

그래, 바로 저거야!

저 노트만 있으면 내가 먼저 비행기를 완성할 수 있어.

그래서 생각한 나의 완벽한 작전! 바로 낮잠 쿨쿨 작전!

배부르게 먹으면 잠이 오겠지? 저들이 낮잠 잘 때 몰래 노트를 가져오면 끝!

파격적인 이벤트~ 고리가 1개라도 걸리면 간식이 공짜!

간식?

간식이 공짜래요. 우리 저거 해요.

비행기 재료를 사려면 돈이 모자라서 안 돼.

걱정 마세요. 특별히 수학 문제를 맞히면 고리 10개를 던지게 해줄게요.

정말요?

그럼 오빠는 못하겠네.

뭐야! 나도 수학 문제를 잘 풀 수 있거든!

자, $\frac{5}{9} \times 6$은 얼마일까요?

내가 할게

쉽죠?

헉!

분수의 분자와 자연수를 곱한 후 약분하여 계산하면 $\frac{5}{9} \times 6 = 3\frac{1}{3}$이에요.

$$\frac{5}{9} \times 6 = \frac{5 \times 6}{9} = \frac{\overset{10}{\cancel{30}}}{\underset{3}{\cancel{9}}}$$

$$= \frac{10}{3} = 3\frac{1}{3}$$

정답! 자, 여기에 고리를 던져봐요.

◎ (진분수) × (자연수)

• $\dfrac{5}{9} \times 6$의 계산

답이 가분수이면 대분수로 나타내요.

방법1 분수의 분자와 자연수를 곱한 후 약분하여 계산하기

$$\dfrac{5}{9} \times 6 = \dfrac{5 \times 6}{9} = \dfrac{\overset{10}{\cancel{30}}}{\underset{3}{\cancel{9}}} = \dfrac{10}{3} = 3\dfrac{1}{3}$$

방법2 주어진 곱셈에서 약분한 다음 계산하기

$$\dfrac{5}{\underset{3}{\cancel{9}}} \times \overset{2}{\cancel{6}} = \dfrac{5 \times 2}{3} = \dfrac{\boxed{①}}{3} = 3\dfrac{\boxed{②}}{3}$$

↳ 분모와 자연수를 약분한 다음 분자와 자연수를 곱하여 계산해요.

⟳ 정답 ① 10 ② 1

---

1 그림을 보고 ☐ 안에 알맞은 수를 써넣으세요.

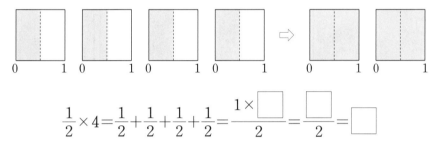

$$\dfrac{1}{2} \times 4 = \dfrac{1}{2} + \dfrac{1}{2} + \dfrac{1}{2} + \dfrac{1}{2} = \dfrac{1 \times \boxed{}}{2} = \dfrac{\boxed{}}{2} = \boxed{}$$

2 $\dfrac{5}{18} \times 6$을 여러 가지 방법으로 계산한 것입니다. ☐ 안에 알맞은 수를 써넣으세요.

(진분수) × (자연수)는 여러 가지 방법으로 계산할 수 있어요.

방법1 $\dfrac{5}{18} \times 6 = \dfrac{5 \times 6}{18} = \dfrac{\overset{\boxed{}}{30}}{\underset{3}{18}} = \dfrac{\boxed{}}{3} = \boxed{}\dfrac{\boxed{}}{3}$

↳ 분자와 자연수를 곱한 후 약분해요.

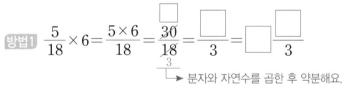

방법2 $\dfrac{5}{\underset{3}{18}} \times \cancel{6} = \dfrac{5 \times \boxed{}}{3} = \dfrac{\boxed{}}{3} = \boxed{}\dfrac{\boxed{}}{3}$

↳ 주어진 곱셈에서 약분해요.

[3～6] 계산해 보세요.

3 $\dfrac{5}{6} \times 5$

4 $\dfrac{3}{8} \times 3$

5 $\dfrac{7}{18} \times 9$

6 $\dfrac{8}{15} \times 9$

2

분수의 곱셈

이제 고리가 1개 남았는데……. 간식을 꼭…….

헐~ 10개를 던졌는데 1개도 못 걸다니~.

망했어!! 1개도 안 걸렸어.

헐~ 어떻게 1개도 안 걸리냐?

시… 실수야. 다시 하면 잘 할 수 있어.

하하~ 실수할 수도 있죠. 다시 도전 하면 돼요.

정말요?

좀 부탁해

왜, 뭘?

자, 이번에는 $1\frac{1}{4} \times 3$을 맞히면 고리 20개를 줄게요.

$1\frac{1}{4} \times 3$

대분수를 가분수로 나타낸 후 분수의 분자와 자연수를 곱하여 계산하면 $1\frac{1}{4} \times 3 = 3\frac{3}{4}$이죠.

$$1\frac{1}{4} \times 3 = \frac{5}{4} \times 3 = \frac{5 \times 3}{4}$$
$$= \frac{15}{4} = 3\frac{3}{4}$$

정답! 자, 이번에는 꼭 성공해요.

이리 줘봐. 내가 해볼게.

성공

헐~ 한 번에 성공~

훗! 어렵지도 않네.

◎ (대분수)×(자연수)

• $1\frac{1}{4} \times 3$의 계산

방법1 대분수를 가분수로 나타낸 후 분수의 분자와 자연수를 곱하여 계산하기

$$1\frac{1}{4} \times 3 = \frac{5}{4} \times 3 = \frac{5 \times 3}{4} = \frac{15}{4} = ❶\,\frac{3}{4}$$

방법2 대분수를 자연수와 진분수의 합으로 보고 계산하기

$$1\frac{1}{4} \times 3 = (1+1+1) + \left(\frac{1}{4}+\frac{1}{4}+\frac{1}{4}\right) = (1 \times 3) + \left(\frac{1}{4} \times 3\right)$$
$$= ❷\boxed{} + \frac{3}{4} = 3\frac{3}{4}$$

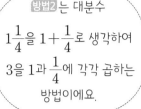

방법2 는 대분수

$1\frac{1}{4}$을 $1 + \frac{1}{4}$로 생각하여

3을 1과 $\frac{1}{4}$에 각각 곱하는

방법이에요.

◐ 정답 ❶ 3 ❷ 3

---

1 그림을 보고 □ 안에 알맞은 수를 써넣으세요.

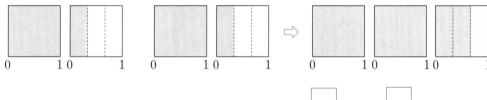

$$1\frac{1}{3} \times 2 = (1 \times 2) + \left(\frac{1}{3} \times \boxed{}\right) = 2 + \frac{\boxed{}}{3} = \boxed{}\frac{\boxed{}}{\boxed{}}$$

2　분수의 곱셈

---

2 $1\frac{1}{8} \times 4$를 여러 가지 방법으로 계산한 것입니다. □ 안에 알맞은 수를 써넣으세요.

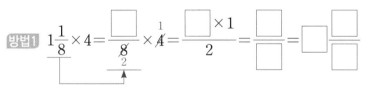

먼저 대분수를 가분수로 나타내요.

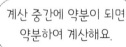

계산 중간에 약분이 되면 약분하여 계산해요.

[3~6] 계산해 보세요.

3 $1\frac{2}{3} \times 4$

4 $2\frac{3}{10} \times 15$

5 $1\frac{4}{7} \times 3$

6 $1\frac{5}{6} \times 9$

이 도넛 정말 맛있다.

수지 덕분에 맛있는 도넛을 먹었네.

그러게~.

배가 부르니 이제 슬슬 잠이 오겠지?

30분 후

동네 서점

형, 서점에 들러 책 좀 볼까?

응, 좋은 생각이야.

뭐지? 배가 부르면 졸리지 않나?

왜

왜

안 되겠어. 그럼 더 배부르게 해 주겠어.

책도 다 보았으니 이제 작업실로 돌아갈까?

이봐요!

특별한 이벤트! 문제를 풀고 정답이면 핫도그가 공짜랍니다.

정말요?

아주 간단한 문제예요. $6 \times \dfrac{2}{3}$ 는 얼마일까요?

그건 제가 풀어 볼게요.

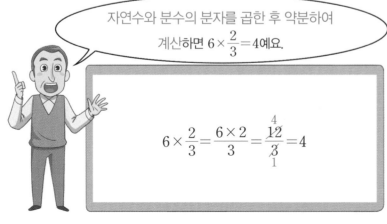

자연수와 분수의 분자를 곱한 후 약분하여 계산하면 $6 \times \dfrac{2}{3} = 4$ 예요.

$$6 \times \frac{2}{3} = \frac{6 \times 2}{3} = \frac{\overset{4}{\cancel{12}}}{\underset{1}{\cancel{3}}} = 4$$

정답! 여기 핫도그를 하나씩 받아요.

고맙습니다!!

◎ (자연수) × (진분수)

• $6 \times \dfrac{2}{3}$의 계산

방법1 자연수와 분수의 분자를 곱한 후 약분하여 계산하기	방법2 자연수와 분수의 분자를 곱하기 전 약분하여 계산하기	방법3 주어진 곱셈에서 약분한 다음 계산하기

방법1
$$6 \times \dfrac{2}{3} = \dfrac{6 \times 2}{3} = \dfrac{\overset{4}{\cancel{12}}}{\underset{1}{\cancel{3}}} = 4$$

방법2
$$6 \times \dfrac{2}{3} = \dfrac{\overset{2}{\cancel{6}} \times 2}{\underset{1}{\cancel{3}}} = \boxed{①}$$

방법3
$$\overset{2}{\cancel{6}} \times \dfrac{2}{\underset{1}{\cancel{3}}} = \boxed{②}$$

↻ 정답 ❶ 4 ❷ 4

1 $4 \times \dfrac{1}{4}$은 얼마인지 알아보려고 합니다. 물음에 답하세요.

(1) $4 \times \dfrac{1}{4}$에 알맞게 색칠해 보세요.

└▶ $4 \times \dfrac{1}{4}$은 4의 $\dfrac{1}{4}$이에요.

```
0      1      2      3      4
┌──────┬──────┬──────┬──────┐
│      ┆      ┆      ┆      │
└──────┴──────┴──────┴──────┘
```

(2) $4 \times \dfrac{1}{4}$은 얼마일까요?

(　　　　　　　　　　)

2 $9 \times \dfrac{5}{6}$를 여러 가지 방법으로 계산한 것입니다. ☐ 안에 알맞은 수를 써넣으세요.

방법1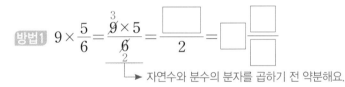

└▶ 자연수와 분수의 분자를 곱하기 전 약분해요.

방법2

└▶ 주어진 곱셈에서 약분해요.

(자연수) × (진분수)는 여러 가지 방법으로 계산할 수 있어요.

[3~6] 계산해 보세요.

3 $4 \times \dfrac{2}{5}$

4 $9 \times \dfrac{3}{10}$

5 $24 \times \dfrac{5}{9}$

6 $15 \times \dfrac{5}{6}$

2

분수의 곱셈

(진분수)×(자연수)

[01~02] □ 안에 알맞은 수를 써넣으세요.

01 $\dfrac{4}{15} \times 5 = \dfrac{4 \times \overset{1}{5}}{\underset{3}{15}} = \dfrac{\square}{\square} = \square \dfrac{\square}{\square}$

02 $\dfrac{3}{8} \times 4 = \dfrac{3 \times 4}{8} = \dfrac{\overset{\square}{12}}{\underset{2}{8}} = \dfrac{\square}{\square} = \square \dfrac{\square}{\square}$

03 $\dfrac{5}{18} \times 9$ 를 여러 가지 방법으로 계산한 것입니다.

□ 안에 알맞은 수를 써넣으세요.

방법1 $\dfrac{5}{18} \times 9 = \dfrac{5 \times 9}{18} = \dfrac{45}{\underset{2}{18}}$

$= \dfrac{\square}{\square} = \square \dfrac{\square}{\square}$

방법2 $\dfrac{5}{18} \times 9 = \dfrac{5 \times \overset{1}{9}}{\underset{\square}{18}} = \dfrac{\square}{\square} = \square \dfrac{\square}{\square}$

방법3 $\dfrac{5}{\underset{2}{18}} \times \overset{}{9} = \dfrac{\square}{\square} = \square \dfrac{\square}{\square}$

[04~06] 계산해 보세요.

04 $\dfrac{5}{6} \times 7$

05 $\dfrac{7}{16} \times 8$

06 $\dfrac{8}{15} \times 3$

(대분수)×(자연수)

[07~08] □ 안에 알맞은 수를 써넣으세요.

07 $1\dfrac{5}{6} \times 8 = \dfrac{11}{\underset{\square}{6}} \times \overset{4}{8} = \dfrac{\square}{\square} = \square \dfrac{\square}{\square}$

08 $2\dfrac{1}{14} \times 7 = (2 \times 7) + \left(\dfrac{1}{\underset{\square}{14}} \times \overset{1}{7} \right)$

$= \square + \dfrac{\square}{2} = \square \dfrac{\square}{2}$

09 $1\dfrac{2}{9} \times 6$을 여러 가지 방법으로 계산한 것입니다.

☐ 안에 알맞은 수를 써넣으세요.

방법1 $1\dfrac{2}{9} \times 6 = \dfrac{11}{\underset{3}{\cancel{9}}} \times \cancel{6} = \dfrac{\boxed{}}{\boxed{}}$

$= \boxed{}\dfrac{\boxed{}}{\boxed{}}$

방법2 $1\dfrac{2}{9} \times 6 = (1 \times 6) + \left(\dfrac{2}{\underset{3}{\cancel{9}}} \times \cancel{6}^{\boxed{}}\right)$

$= 6 + \dfrac{\boxed{}}{3} = \boxed{}\dfrac{\boxed{}}{3}$

[10~12] 계산해 보세요.

10 $2\dfrac{5}{12} \times 4$

11 $1\dfrac{3}{16} \times 12$

12 $2\dfrac{7}{10} \times 25$

(자연수)×(진분수)

[13~14] ☐ 안에 알맞은 수를 써넣으세요.

13 $4 \times \dfrac{2}{9} = \dfrac{4 \times 2}{9} = \dfrac{\boxed{}}{\boxed{}}$

14 $6 \times \dfrac{7}{12} = \dfrac{\overset{1}{\cancel{6}} \times 7}{\underset{\boxed{}}{\cancel{12}}} = \dfrac{\boxed{}}{\boxed{}} = \boxed{}\dfrac{\boxed{}}{\boxed{}}$

[15~18] 계산해 보세요.

15 $7 \times \dfrac{8}{21}$

16 $18 \times \dfrac{5}{9}$

17 $6 \times \dfrac{7}{24}$

18 $16 \times \dfrac{9}{64}$

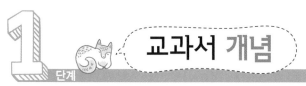
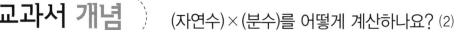

이 핫도그도 정말 맛있다.

응, 난 이제 배부르다.

아저씨, 한 번 더 도전해도 돼요?

또? 그래~

신난다. 핫도그 하나 더 먹어야지.

이 꼬맹이 엄청 먹네. 어려운 문제를 내야지.

$2 \times 1\frac{1}{3}$은 얼마일까?

음… 음…

음… 음…

너 설마 어려워서 못 푸는 거야?

말 시키지 마세요. 지금 집중해서 생각 중이에요.

아… 답답해! 이렇게 하면 되잖아!

대분수를 가분수로 나타낸 후 자연수와 분수의 분자를 곱하여 계산하면 $2 \times 1\frac{1}{3} = 2\frac{2}{3}$지.

$$2 \times 1\frac{1}{3} = 2 \times \frac{4}{3} = \frac{2 \times 4}{3}$$
$$= \frac{8}{3} = 2\frac{2}{3}$$

응… 분해서

아저씨! 핫도그 주기 싫어서 아저씨가 문제 푼 거죠?

아니거든, 줄 거야! 주면 되잖아!

고맙습니다

그렇게 먹고 또 먹어?

와구 와구

이번에는 틀림없겠지?

쿡 쿡

◎ (자연수)×(대분수)

• $2 \times 1\frac{1}{3}$의 계산

방법1 대분수를 가분수로 나타낸 후 자연수와 분수의 분자를 곱하여 계산하기

$$2 \times 1\frac{1}{3} = 2 \times \frac{4}{3} = \frac{2 \times 4}{3} = \frac{8}{3} = 2\frac{2}{3}$$

방법2 대분수를 자연수와 진분수의 합으로 보고 계산하기

$$2 \times 1\frac{1}{3} = (2 \times 1) + \left(2 \times \frac{1}{3}\right) = \boxed{①} + \frac{2}{3} = \boxed{②}\frac{2}{3}$$

방법2에서 $1\frac{1}{3}$을 $1 + \frac{1}{3}$로 생각하여 계산해요.

◐ 정답 ❶ 2　❷ 2

1 그림을 보고 □ 안에 알맞은 수를 써넣으세요.

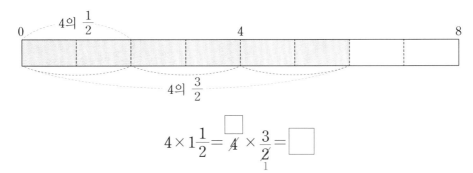

0　4의 $\frac{1}{2}$　4　8

4의 $\frac{3}{2}$

$$4 \times 1\frac{1}{2} = \overset{\boxed{}}{\cancel{4}} \times \frac{3}{\underset{1}{2}} = \boxed{}$$

2 $6 \times 2\frac{3}{8}$을 여러 가지 방법으로 계산한 것입니다. □ 안에 알맞은 수를 써넣으세요.

방법1 $6 \times 2\frac{3}{8} = \overset{\boxed{}}{\cancel{6}} \times \frac{19}{\underset{4}{8}} = \frac{\boxed{} \times 19}{4} = \frac{\boxed{}}{4} = \boxed{}\frac{\boxed{}}{4}$

방법2 $6 \times 2\frac{3}{8} = (\boxed{} \times 2) + \left(\overset{}{\cancel{6}} \times \frac{3}{\underset{4}{8}}\right) = 12 + \frac{\boxed{}}{4} = 12 + \boxed{}\frac{\boxed{}}{4} = \boxed{}\frac{\boxed{}}{4}$

[3~6] 계산해 보세요.

3 $15 \times 1\frac{1}{6}$

4 $6 \times 2\frac{1}{2}$

5 $4 \times 2\frac{9}{16}$

6 $8 \times 1\frac{5}{16}$

대분수 상태에서는 약분할 수 없어요.

$$\overset{3}{\cancel{6}} \times 2\frac{1}{\underset{1}{2}}$$ ✗

2

분수의 곱셈

이제 돌아가서 작업을 마저 해야 하지 않을까?

그래~

그런데 형, 진짜 우리가 하늘을 날 수 있을까?

그럼! 난 비행기를 만들어 하늘을 나는게 꿈이야.

걱정 마세요! 그 꿈은 꼭 이루어질 거예요.

아직도 잠이 안 오는거야?

헐~

그래, 이게 마지막이다.

POPCORN

설마, 또 이벤트?

빨간두건 랭디

문제를 풀어 답이 맞으면 이 팝콘을 줄게요.

$\frac{1}{5} \times \frac{1}{3}$ 이요?

$\frac{1}{5} \times \frac{1}{3}$

(단위분수)×(단위분수)는 분자는 항상 1이고 분모끼리 곱하여 구하면 $\frac{1}{5} \times \frac{1}{3} = \frac{1}{15}$ 이죠.

$$\frac{1}{5} \times \frac{1}{3} = \frac{1}{5 \times 3} = \frac{1}{15}$$

정답! 맛있게 먹으렴.

음...

이거 내가 먹어도 되지?

좀... 수상한데...

헐~ 쟤는 배도 안 부른가?

우걱

우걱

개념 클릭

◎ (단위분수)×(단위분수)

· $\frac{1}{5} \times \frac{1}{3}$의 계산 → $\frac{1}{2}, \frac{1}{3}, \frac{1}{4}$ …… 등과 같이 분자가 1인 진분수

$$\frac{1}{5} \times \frac{1}{3} = \frac{1}{5 \times 3} = \frac{1}{\boxed{❶}}$$

(단위분수)×(단위분수)의 분자는 항상 1이고 분모끼리 곱해요.

➡ 정답 ❶ 15

1 그림을 보고 ☐ 안에 알맞은 수를 써넣으세요.

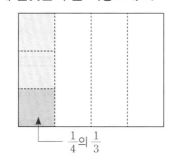

$\frac{1}{4}$의 $\frac{1}{3}$

$$\frac{1}{4} \times \frac{1}{3} = \frac{1}{\boxed{} \times \boxed{}} = \frac{1}{\boxed{}}$$

2 ☐ 안에 알맞은 수를 써넣으세요.

(1) $\dfrac{1}{3} \times \dfrac{1}{6} = \dfrac{1}{3 \times \boxed{}} = \dfrac{1}{\boxed{}}$

(2) $\dfrac{1}{8} \times \dfrac{1}{10} = \dfrac{1}{\boxed{} \times \boxed{}} = \dfrac{1}{\boxed{}}$

단위분수끼리의 곱은 아주 간단해요.

응! 분자는 항상 1이고 분모끼리 곱하면 돼.

[3~8] 계산해 보세요.

3 $\dfrac{1}{2} \times \dfrac{1}{3}$

4 $\dfrac{1}{5} \times \dfrac{1}{7}$

5 $\dfrac{1}{8} \times \dfrac{1}{9}$

6 $\dfrac{1}{3} \times \dfrac{1}{7}$

7 $\dfrac{1}{6} \times \dfrac{1}{12}$

8 $\dfrac{1}{11} \times \dfrac{1}{13}$

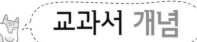

대체 왜 잠을 안 자는 거야!

왜 왜 왜

그렇다면 다른 방법으로……

훗~ 조용한 음악을 들으면 졸리겠지?

오늘만 특별한 이벤트!! 음악감상 티켓을 드려요.

형, 우리 저거 해 볼까?

오~ 좋아!

티켓은 어떻게 하면 받을 수 있나요?

간단합니다. 수학 문제를 풀면 돼요.

삐에로 아저씨! 우리 어디서 본적……

아니거든! 나 너 처음 봬!!

됐고! $\frac{4}{5} \times \frac{1}{3}$ 을 풀어 보세요.

$\frac{4}{5} \times \frac{1}{3}$

분자는 분자끼리 곱하고 분모는 분모끼리 곱하면 $\frac{4}{5} \times \frac{1}{3} = \frac{4}{15}$ 지요.

$$\frac{4}{5} \times \frac{1}{3} = \frac{4 \times 1}{5 \times 3} = \frac{4}{15}$$

정답! 이 티켓을 가지고 저기 음악 감상 카페로 가면 됩니다.

카 페

개념 클릭

◎ (진분수) × (단위분수)

• $\dfrac{4}{5} \times \dfrac{1}{3}$ 의 계산

$$\dfrac{4}{5} \times \dfrac{1}{3} = \dfrac{4 \times 1}{5 \times 3} = \dfrac{\boxed{\text{❶}}}{15}$$

(진분수) × (단위분수)는
분자는 분자끼리 곱하고
분모는 분모끼리 곱해요.

◑ 정답 ❶ 4

1 그림을 보고 ☐ 안에 알맞은 수를 써넣으세요.

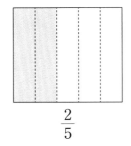 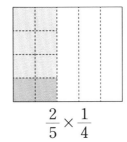

$$\dfrac{2}{5} \times \dfrac{1}{4} = \dfrac{\overset{1}{2} \times 1}{5 \times \underset{\boxed{}}{\cancel{4}}} = \dfrac{\boxed{}}{\boxed{}}$$

2 ☐ 안에 알맞은 수를 써넣으세요.

(1) $\dfrac{5}{6} \times \dfrac{1}{15} = \dfrac{\overset{1}{5} \times 1}{6 \times \underset{\boxed{}}{15}} = \dfrac{\boxed{}}{\boxed{}}$

(2) $\dfrac{4}{7} \times \dfrac{1}{6} = \dfrac{\boxed{} \times 1}{7 \times \boxed{}} = \dfrac{\boxed{}}{\boxed{}}$

[3~6] 계산해 보세요.

3 $\dfrac{4}{9} \times \dfrac{1}{8}$

4 $\dfrac{7}{12} \times \dfrac{1}{14}$

5 $\dfrac{8}{15} \times \dfrac{1}{4}$

6 $\dfrac{9}{25} \times \dfrac{1}{6}$

계산 과정에서
약분이 되면 약분하여
계산해요.

2

분수의 곱셈

(자연수)×(대분수)

01 $9 \times 4\frac{1}{3}$ 을 여러 가지 방법으로 계산한 것입니다.

□ 안에 알맞은 수를 써넣으세요.

방법1 $9 \times 4\frac{1}{3} = \overset{\square}{\cancel{9}} \times \frac{13}{\cancel{3}_1} = \boxed{}$

방법2 $9 \times 4\frac{1}{3} = (9 \times 4) + \left(\overset{\square}{\cancel{9}} \times \frac{1}{\cancel{3}_1}\right)$

$= 36 + \boxed{} = \boxed{}$

[02~07] 계산해 보세요.

02 $10 \times 4\frac{4}{5}$

03 $12 \times 2\frac{5}{9}$

04 $9 \times 1\frac{5}{6}$

05 $2 \times 3\frac{5}{6}$

06 $6 \times 4\frac{2}{3}$

07 $8 \times 1\frac{5}{16}$

(단위분수)×(단위분수)

[08~10] □ 안에 알맞은 수를 써넣으세요.

08 $\frac{1}{9} \times \frac{1}{7} = \frac{1}{9 \times \boxed{}} = \frac{1}{\boxed{}}$

09 $\frac{1}{5} \times \frac{1}{16} = \frac{1}{\boxed{} \times \boxed{}} = \frac{1}{\boxed{}}$

10 $\frac{1}{12} \times \frac{1}{4} = \frac{1}{\boxed{} \times \boxed{}} = \frac{1}{\boxed{}}$

[11~13] 계산해 보세요.

11 $\dfrac{1}{8} \times \dfrac{1}{5}$

12 $\dfrac{1}{6} \times \dfrac{1}{11}$

13 $\dfrac{1}{16} \times \dfrac{1}{6}$

(진분수)×(단위분수)

[14~15] □ 안에 알맞은 수를 써넣으세요.

14 $\dfrac{7}{16} \times \dfrac{1}{21} = \dfrac{\overset{1}{\cancel{7}} \times 1}{16 \times \underset{\boxed{}}{\cancel{21}}} = \dfrac{\boxed{}}{\boxed{}}$

15 $\dfrac{\overset{1}{\cancel{5}}}{9} \times \dfrac{1}{\underset{\boxed{}}{\cancel{25}}} = \dfrac{\boxed{} \times 1}{9 \times \boxed{}} = \dfrac{\boxed{}}{\boxed{}}$

[16~20] 계산해 보세요.

16 $\dfrac{3}{8} \times \dfrac{1}{9}$

17 $\dfrac{9}{14} \times \dfrac{1}{6}$

18 $\dfrac{14}{15} \times \dfrac{1}{21}$

19 $\dfrac{10}{21} \times \dfrac{1}{5}$

20 $\dfrac{8}{17} \times \dfrac{1}{12}$

2

분수의 곱셈

좋은 음악을 들으니 기분이 좋아져.

응, 맞아. 난 에너지가 솟아나.

뭐… 뭐야? 잠이 오는게 아니라 에너지가 솟아난다고?

에잇! 모르겠다.

쾅

정신없는 틈을 이용해서 몰래 가져가자.

저기요!

??

$\dfrac{5}{6} \times \dfrac{3}{4}$

$\dfrac{5}{6} \times \dfrac{3}{4}$을 계산할 수 있나요?

네, 간단하죠.

분자는 분자끼리, 분모는 분모끼리 곱한 후 약분하여 계산하면 $\dfrac{5}{6} \times \dfrac{3}{4} = \dfrac{5}{8}$지요.

$$\dfrac{5}{6} \times \dfrac{3}{4} = \dfrac{5 \times 3}{6 \times 4}$$

$$= \dfrac{\overset{5}{\cancel{15}}}{\underset{8}{\cancel{24}}} = \dfrac{5}{8}$$

이렇게 하면 되…죠? 어디 갔지?

안!

형! 저 사람이 형 노트를 가지고 도망갔어!

뭐? 안 돼~

그건 정말 나의 소중한……

큰일이다!

◎ (진분수)×(진분수)

• $\dfrac{5}{6} \times \dfrac{3}{4}$ 의 계산

방법1 분자는 분자끼리, 분모는 분모끼리 곱한 후 약분하여 계산하기

$$\dfrac{5}{6} \times \dfrac{3}{4} = \dfrac{5 \times 3}{6 \times 4} = \dfrac{\overset{5}{\cancel{15}}}{\underset{8}{\cancel{24}}} = \dfrac{❶}{8}$$

방법2 분자는 분자끼리, 분모는 분모끼리 곱하기 전 약분하여 계산하기

$$\dfrac{5}{6} \times \dfrac{3}{4} = \dfrac{5 \times \overset{1}{\cancel{3}}}{\underset{2}{\cancel{6}} \times 4} = \dfrac{❷}{8}$$

방법3 주어진 곱셈에서 약분한 다음 계산하기

$$\dfrac{5}{\underset{2}{\cancel{6}}} \times \dfrac{\overset{1}{\cancel{3}}}{4} = \dfrac{5}{8}$$

편한 방법으로
계산해 보세요.

➡ 정답　❶ 5　❷ 5

2

분수의 곱셈

1 □ 안에 알맞은 수를 써넣으세요.

(1) $\dfrac{3}{5} \times \dfrac{4}{7} = \dfrac{\boxed{} \times 4}{5 \times \boxed{}} = \dfrac{\boxed{}}{\boxed{}}$

(2) $\dfrac{5}{\underset{2}{\cancel{8}}} \times \dfrac{\cancel{4}}{9} = \dfrac{\boxed{}}{\boxed{}}$

[2~5] 계산해 보세요.

2 $\dfrac{5}{6} \times \dfrac{7}{8}$

3 $\dfrac{6}{7} \times \dfrac{3}{10}$

4 $\dfrac{3}{4} \times \dfrac{3}{8}$

5 $\dfrac{5}{12} \times \dfrac{7}{15}$

6 $\dfrac{1}{2} \times \dfrac{4}{5} \times \dfrac{2}{3}$ 를 여러 가지 방법으로 계산한 것입니다.
□ 안에 알맞은 수를 써넣으세요.

방법1 $\dfrac{1}{2} \times \dfrac{4}{5} \times \dfrac{2}{3} = \dfrac{1 \times \overset{2}{\cancel{4}} \times 2}{\underset{1}{\cancel{2}} \times 5 \times 3} = \dfrac{\boxed{}}{\boxed{}}$

방법2 $\dfrac{1}{\underset{1}{\cancel{2}}} \times \dfrac{\overset{2}{\cancel{4}}}{5} \times \dfrac{2}{3} = \dfrac{1 \times \boxed{} \times 2}{1 \times 5 \times \boxed{}} = \dfrac{\boxed{}}{\boxed{}}$

세 분수의 곱셈은
분자는 분자끼리, 분모는
분모끼리 곱해.

약분이 되면
약분하여
계산해 봐.

교과서 개념

여러 가지 분수의 곱셈을 어떻게 계산하나요?

랭리 박사의 연구소

이 노트만 있으면 나도…….

내가 먼저 비행기를 만들 수 있다!

으 하 하 하

뭐야? 노트에 자물쇠를? 역시 중요한 노트인가 보군.

$2\frac{2}{3} \times 1\frac{1}{4}$

여기 힌트가…….

일단 $2\frac{2}{3} \times 1\frac{1}{4}$을 계산해야겠군.

대분수를 가분수로 나타낸 후 약분하여 계산하면 $2\frac{2}{3} \times 1\frac{1}{4} = 3\frac{1}{3}$이지.

$$2\frac{2}{3} \times 1\frac{1}{4} = \frac{\overset{2}{\cancel{8}}}{3} \times \frac{5}{\underset{1}{\cancel{4}}}$$

$$= \frac{10}{3} = 3\frac{1}{3}$$

두둥

윌버라이트 일기

나쁜 녀석, 내 소중한 일기를…….

잃어버린 게 일기라 다행이야.

다행이라니!! 거기에 내 소중한 일기들이 다 적혀있단 말이야!

하 핫

아저씨, 힘내세요!

◎ (대분수)×(대분수)

• $2\frac{2}{3} \times 1\frac{1}{4}$의 계산

방법1 대분수를 가분수로 나타낸 후 계산하기

$$2\frac{2}{3} \times 1\frac{1}{4} = \frac{8}{3} \times \frac{\overset{2}{\cancel{5}}}{\underset{1}{\cancel{4}}} = \frac{\boxed{❶}}{3} = 3\frac{\boxed{❷}}{3}$$

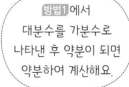

방법1 에서 대분수를 가분수로 나타낸 후 약분이 되면 약분하여 계산해요.

방법2 대분수를 자연수와 진분수의 합으로 보고 계산하기

$$2\frac{2}{3} \times 1\frac{1}{4} = \left(2\frac{2}{3} \times 1\right) + \left(2\frac{2}{3} \times \frac{1}{4}\right) = 2\frac{2}{3} + \left(\frac{\overset{2}{\cancel{8}}}{3} \times \frac{1}{\underset{1}{\cancel{4}}}\right) = 2\frac{2}{3} + \frac{2}{3} = 3\frac{1}{3}$$

◎ 정답 ❶ 10 ❷ 1

1 $2\frac{1}{4} \times 1\frac{2}{5}$ 를 계산하려고 합니다. ☐ 안에 알맞은 수를 써넣으세요.

$$2\frac{1}{4} \times 1\frac{2}{5} = \frac{\boxed{}}{4} \times \frac{\boxed{}}{5} = \frac{\boxed{}}{20} = \boxed{}\frac{\boxed{}}{20}$$

2

분수의 곱셈

[2~4] ☐ 안에 알맞은 수를 써넣으세요.

2 $8 \times \frac{3}{7} = \frac{8}{1} \times \frac{3}{7} = \frac{8 \times \boxed{}}{1 \times 7} = \frac{\boxed{}}{7} = \boxed{}\frac{\boxed{}}{7}$

8은 분수로 $\frac{8}{1}$과 같고 10은 분수로 $\frac{10}{1}$과 같아요.

3 $1\frac{1}{5} \times 10 = \frac{6}{5} \times \frac{10}{1} = \frac{\boxed{} \times \overset{\boxed{}}{\cancel{10}}}{\underset{1}{\cancel{5}} \times 1} = \boxed{}$

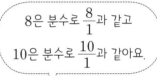

4 $1\frac{5}{7} \times 2\frac{1}{4} = \frac{\overset{3}{\cancel{12}}}{\boxed{}} \times \frac{\boxed{}}{\underset{1}{\cancel{4}}} = \frac{\boxed{} \times 9}{\boxed{} \times 1} = \frac{\boxed{}}{\boxed{}} = \boxed{}\frac{\boxed{}}{7}$

[5~6] 계산해 보세요.

5 $3\frac{1}{2} \times 1\frac{3}{4}$

6 $3\frac{1}{9} \times 6\frac{3}{7}$

2 단계

(진분수)×(진분수)

[01~03] □ 안에 알맞은 수를 써넣으세요.

01 $\dfrac{2}{7} \times \dfrac{5}{6} = \dfrac{2 \times 5}{7 \times 6} = \dfrac{\overset{5}{\cancel{10}}}{\underset{\boxed{}}{\cancel{42}}} = \dfrac{\boxed{}}{\boxed{}}$

02 $\dfrac{3}{8} \times \dfrac{5}{9} = \dfrac{\overset{1}{\cancel{3}} \times 5}{8 \times \underset{\boxed{}}{\cancel{9}}} = \dfrac{\boxed{}}{\boxed{}}$

03 $\dfrac{7}{\underset{\boxed{}}{\cancel{25}}} \times \dfrac{\overset{1}{\cancel{5}}}{9} = \dfrac{\boxed{}}{\boxed{}}$

[04~08] 계산해 보세요.

04 $\dfrac{9}{14} \times \dfrac{3}{18}$

05 $\dfrac{5}{6} \times \dfrac{7}{15}$

06 $\dfrac{3}{7} \times \dfrac{14}{25}$

07 $\dfrac{3}{16} \times \dfrac{4}{5} \times \dfrac{5}{6}$

08 $\dfrac{7}{12} \times \dfrac{5}{21} \times \dfrac{4}{5}$

[09~10] 빈칸에 알맞은 수를 써넣으세요.

09

$\dfrac{8}{25}$	$\dfrac{5}{7}$	

10

$\dfrac{3}{5}$	$\dfrac{5}{12}$	

(대분수)×(대분수)

[11~13] □ 안에 알맞은 수를 써넣으세요.

11 $2\dfrac{1}{3} \times 1\dfrac{1}{4} = \dfrac{\boxed{}}{3} \times \dfrac{\boxed{}}{4} = \dfrac{\boxed{}}{12}$

$\qquad = \boxed{}\dfrac{\boxed{}}{12}$

12 $3\dfrac{3}{7} \times 1\dfrac{3}{8} = \dfrac{\overset{\boxed{}}{24}}{7} \times \dfrac{\boxed{}}{\underset{1}{8}} = \dfrac{\boxed{}}{\boxed{}}$

$\qquad = \boxed{}\dfrac{\boxed{}}{7}$

13 $\dfrac{1}{6} \times 1\dfrac{1}{4} \times \dfrac{3}{10} = \dfrac{1}{\underset{\boxed{}}{6}} \times \dfrac{\overset{\boxed{}}{5}}{4} \times \dfrac{\overset{1}{3}}{\underset{2}{10}}$

$\qquad = \dfrac{1 \times \boxed{} \times 1}{\boxed{} \times 4 \times 2} = \boxed{}$

[14~20] 계산해 보세요.

14 $2\dfrac{1}{4} \times 1\dfrac{1}{2}$

15 $4\dfrac{1}{6} \times 1\dfrac{5}{7}$

16 $5\dfrac{1}{3} \times 1\dfrac{3}{4}$

17 $2\dfrac{1}{12} \times 3\dfrac{3}{5}$

18 $1\dfrac{3}{7} \times 2\dfrac{4}{5}$

19 $\dfrac{3}{7} \times \dfrac{3}{5} \times 1\dfrac{1}{6}$

20 $5 \times 2\dfrac{1}{3} \times \dfrac{3}{10}$

2

분수의 곱셈

01 그림을 보고 ☐ 안에 알맞은 수를 써넣으세요.

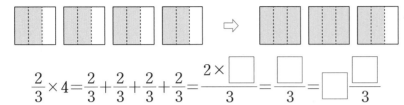

$$\frac{2}{3} \times 4 = \frac{2}{3} + \frac{2}{3} + \frac{2}{3} + \frac{2}{3} = \frac{2 \times \boxed{}}{3} = \frac{\boxed{}}{3} = \boxed{} \frac{\boxed{}}{3}$$

02 그림을 보고 ☐ 안에 알맞은 수를 써넣으세요.

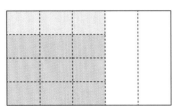

$$\frac{3}{5} \times \frac{3}{4} = \frac{3 \times \boxed{}}{5 \times \boxed{}} = \frac{\boxed{}}{\boxed{}}$$

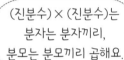

03 ☐ 안에 알맞은 수를 써넣으세요.

(1) $\dfrac{1}{9} \times \dfrac{1}{8} = \dfrac{1 \times 1}{9 \times \boxed{}} = \dfrac{1}{\boxed{}}$

(2) $\dfrac{1}{12} \times \dfrac{5}{7} = \dfrac{1 \times 5}{\boxed{} \times 7} = \dfrac{\boxed{}}{\boxed{}}$

• (1) (단위분수) × (단위분수)의
  분자는 항상 1이고 분모끼
  리 곱합니다.

04 여러 가지 방법으로 계산한 것입니다. ☐ 안에 알맞은 수를 써넣으세요.

방법1 $12 \times \dfrac{3}{8} = \dfrac{12 \times 3}{8} = \dfrac{\overset{\square}{36}}{\underset{2}{8}} = \dfrac{\square}{\square} = \square \dfrac{\square}{\square}$

방법2 $12 \times \dfrac{3}{8} = \dfrac{\overset{3}{12} \times 3}{\underset{\square}{8}} = \dfrac{\square}{\square} = \square \dfrac{\square}{\square}$

방법3 $\overset{\square}{12} \times \dfrac{3}{\underset{2}{8}} = \dfrac{\square}{\square} = \square \dfrac{\square}{\square}$

05 계산해 보세요.

(1) $\dfrac{1}{5} \times \dfrac{1}{3}$

(2) $\dfrac{1}{7} \times \dfrac{3}{5}$

(3) $\dfrac{5}{9} \times \dfrac{4}{5}$

(4) $\dfrac{6}{7} \times \dfrac{21}{25}$

(5) $1\dfrac{7}{8} \times 1\dfrac{2}{5}$

(6) $1\dfrac{3}{7} \times 2\dfrac{1}{4}$

06 (분수)×(분수)의 계산 방법을 이용하여 계산해 보세요.

(1) $5 \times \dfrac{4}{7} = \dfrac{\square}{1} \times \dfrac{4}{7} = \dfrac{\square \times 4}{1 \times 7} = \dfrac{\square}{\square} = \square \dfrac{\square}{\square}$

(2) $\dfrac{5}{8} \times 3 = \dfrac{5}{8} \times \dfrac{\square}{1} = \dfrac{5 \times \square}{8 \times 1} = \dfrac{\square}{\square} = \square \dfrac{\square}{\square}$

Tip

• (5), (6)에서 대분수를 가분수로 나타낸 후 계산합니다.

2

분수의 곱셈

5는 $\dfrac{5}{1}$와 같고 3은 $\dfrac{3}{1}$과 같아요.

07 계산 결과가 같은 것끼리 이으세요.

$7 \times \dfrac{3}{4}$ ·

$1\dfrac{4}{5} \times 10$ ·

$1\dfrac{7}{8} \times 12$ ·

· $10 \times 1\dfrac{4}{5}$

· $\dfrac{3}{4} \times 7$

· $12 \times \dfrac{15}{8}$

Tip

08 계산 결과가 3보다 큰 식에 ○표, 3보다 작은 식에 △표 하세요.

$$3 \times \dfrac{1}{5} \qquad 3 \times 1\dfrac{1}{4} \qquad 3 \times 2\dfrac{5}{9}$$

자연수와 분수를 곱한 계산 결과가 3보다 클지, 작을지 생각해 보세요.

09 ○ 안에 >, =, <를 알맞게 써넣으세요.

(1) $\dfrac{3}{5} \times \dfrac{1}{7}$  $\dfrac{3}{5} \times \dfrac{1}{8}$

(2) $\dfrac{1}{8} \times \dfrac{5}{9}$ $\dfrac{5}{9} \times \dfrac{1}{8}$

· 분수의 곱셈을 계산한 다음 계산 결과의 크기를 비교해 봅니다.

10 우유가 $\frac{1}{6}$ L씩 들어 있는 컵이 5개 있습니다. 우유는 모두 몇 L일까요?

Tip

식 ___ $\frac{1}{6} \times \boxed{} = \frac{\boxed{}}{6}$

답 ___

11 색종이 24장을 가지고 있습니다. 이 중 전체의 $\frac{3}{8}$을 사용했다면 사용한 색종이는 몇 장일까요?

식 ___ $24 \times \dfrac{\boxed{}}{8} = \boxed{}$

답 ___

24장 중 $\frac{3}{8}$을 사용했으므로 $24 \times \frac{3}{8}$을 계산해요.

12 다음 수 카드 중 두 장을 사용하여 분수의 곱셈을 만들려고 합니다. 계산 결과가 가장 작은 식을 구하세요.

| 3 | 4 | 5 | 6 | 7 | 8 |

식 ___ $\dfrac{1}{\boxed{}} \times \dfrac{1}{\boxed{}}$

• $\dfrac{1}{\square} \times \dfrac{1}{\square}$ 에서 분모에 큰 수가 들어갈수록 계산 결과가 작아집니다.

단원 평가

[01~02] 그림을 보고 □ 안에 알맞은 수를 써넣으세요.

01

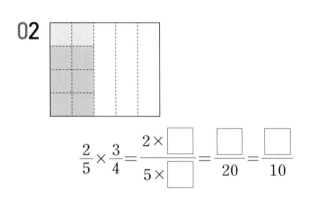

$$\frac{2}{3} \times \boxed{} = \frac{2 \times \boxed{}}{3} = \frac{\boxed{}}{3} = \boxed{}\frac{\boxed{}}{3}$$

02

$$\frac{2}{5} \times \frac{3}{4} = \frac{2 \times \boxed{}}{5 \times \boxed{}} = \frac{\boxed{}}{20} = \frac{\boxed{}}{10}$$

[03~04] □ 안에 알맞은 수를 써넣으세요.

03 $\dfrac{1}{9} \times \dfrac{1}{6} = \dfrac{1}{9 \times \boxed{}} = \dfrac{1}{\boxed{}}$

04 $1\dfrac{2}{15} \times 4 = (1 \times 4) + \left(\dfrac{2}{15} \times \boxed{}\right)$

$$= \boxed{} + \frac{\boxed{}}{15} = \boxed{}\frac{\boxed{}}{15}$$

05 $\dfrac{2}{7} \times 3$과 같지 <u>않은</u> 것을 찾아 기호를 쓰세요.

㉠ $\dfrac{2}{7} + \dfrac{2}{7} + \dfrac{2}{7}$	㉡ $\dfrac{2 \times 3}{7}$
㉢ $\dfrac{6}{7}$	㉣ $\dfrac{2}{21}$

(   )

[06~07] 계산해 보세요.

06 $12 \times \dfrac{3}{4}$

07 $2\dfrac{3}{4} \times 4\dfrac{4}{5}$

08 빈칸에 알맞은 수를 써넣으세요.

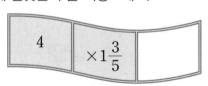

09 【보기】와 같이 계산해 보세요.

【보기】

$$3 \times 2\frac{1}{6} = \overset{1}{3} \times \frac{13}{\underset{2}{6}} = \frac{13}{2} = 6\frac{1}{2}$$

$12 \times 3\frac{3}{8}$

10 바르게 계산한 사람의 이름을 쓰세요.

$$\frac{3}{10} \times \frac{1}{9} = \frac{1}{30}$$

서윤

$$\frac{5}{8} \times \frac{7}{15} = \frac{5}{24}$$

지호

( )

11 관계있는 것끼리 이으세요.

$6 \times \dfrac{7}{10}$ •

$24 \times \dfrac{7}{16}$ •

• $4\dfrac{1}{5}$

• $7\dfrac{1}{4}$

• $10\dfrac{1}{2}$

12 계산 결과를 비교하여 ◯ 안에 >, =, <를 알맞게 써넣으세요.

$3\dfrac{1}{2} \times 12$ ◯ $8\dfrac{2}{3} \times 5$

13 가장 큰 수와 가장 작은 수의 곱을 구하세요.

$$1\frac{1}{2} \qquad 3\frac{5}{9} \qquad 2\frac{3}{4}$$

( )

14 빈칸에 알맞은 수를 써넣으세요.

$3\dfrac{3}{4}$ → $\times\dfrac{5}{6}$ → $\times\dfrac{1}{5}$ → ☐

2

분수의 곱셈

15 계산 결과가 $\frac{2}{5}$보다 작은 것에 ○표 하세요.

$$\frac{2}{5} \times 1\frac{3}{4} \qquad \frac{2}{5} \times 3 \qquad \frac{2}{5} \times \frac{5}{6}$$

16 직사각형의 넓이는 몇 cm²일까요?

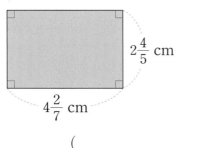

$2\frac{4}{5}$ cm

$4\frac{2}{7}$ cm

( )

17 곱이 가장 큰 곱셈식을 만든 사람은 누구일까요?

지영: $\frac{1}{5} \times \frac{1}{3}$ 민석: $\frac{1}{4} \times \frac{1}{3}$

여진: $\frac{1}{2} \times \frac{1}{7}$ 정수: $\frac{1}{6} \times \frac{1}{3}$

( )

18 2부터 9까지의 자연수 중에서 □ 안에 들어갈 수 있는 수를 모두 쓰세요.

$$\frac{1}{8} \times \frac{1}{\square} > \frac{1}{40}$$

( )

19 길이가 6 m인 끈의 $\frac{4}{5}$를 사용했습니다. 사용한 끈은 몇 m일까요?

식

답

20 학교 도서관에 있는 전체 책의 $\frac{3}{5}$은 아동 도서이고, 그중 $\frac{1}{4}$은 동화책입니다. 동화책은 학교 도서관에 있는 책 전체의 몇 분의 몇일까요?

식

답

스스로 학습장은 이 단원에서 배운 것을 확인하는 코너입니다.
몰랐던 것은 꼭 다시 공부해서 내 것으로 만들어 보아요.

• 스피드 정답표 5쪽, 정답 26쪽

✷ 수지가 본 쪽지 시험입니다. 맞은 문제는 ○표, <u>틀린</u> 문제는 /표 하고 답을 바르게 고쳐 보세요.

쪽지 시험	이름	수지
분수의 곱셈		

✷ 계산해 보세요.

① $\dfrac{2}{5} \times 2 = \dfrac{4}{5}$

5 $18 \times \dfrac{5}{9} = 10$

2 $\dfrac{8}{15} \times 5 = \dfrac{8}{75} \quad 2\dfrac{2}{3}$

6 $\dfrac{1}{9} \times \dfrac{2}{3} = \dfrac{2}{27}$

3 $1\dfrac{3}{5} \times 6 = 9\dfrac{3}{5}$

7 $1\dfrac{2}{3} \times 2\dfrac{4}{5} = 2\dfrac{2}{3}$

4 $12 \times 1\dfrac{3}{4} = 12$

8 $\dfrac{3}{7} \times \dfrac{2}{3} \times \dfrac{1}{5} = \dfrac{2}{35}$

3

합동과 대칭

QR 코드를 찍으면
3단원 개념 동영상
강의를 볼 수 있어요.

📖 이번에 배울 내용

- 도형의 합동 알아보기
- 합동인 도형의 성질 알아보기
- 선대칭도형과 그 성질 알아보기
- 점대칭도형과 그 성질 알아보기

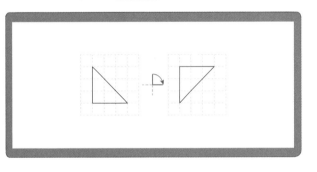

1 각도를 읽어 보세요.

(1)
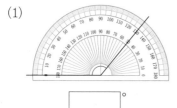

$$\boxed{}\degree$$

(2)

$$\boxed{}\degree$$

2 삼각형을 보고 □ 안에 알맞은 수를 써넣으세요.

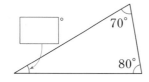

3 사각형을 보고 □ 안에 알맞은 수를 써넣으세요.

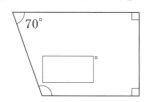

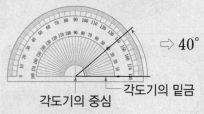
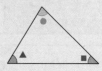

4 도형을 보고 평행사변형과 마름모를 모두 찾아 빈칸에 기호를 써넣으세요.

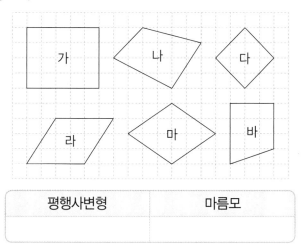

평행사변형	마름모

5 도형을 오른쪽으로 밀었을 때의 도형을 그려 보세요.

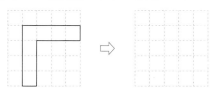

6 도형을 오른쪽으로 뒤집고 시계 방향으로 180°만큼 돌렸을 때의 도형을 그려 보세요.

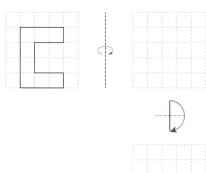

3

합동과 대칭

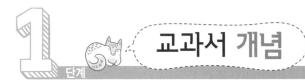

◎ **도형의 합동**

• 합동: 모양과 크기가 같아서 포개었을 때 완전히 겹치는 두 도형

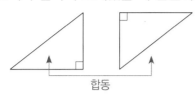

합동

두 도형이 완전히 겹치면 두 도형은 서로 **❶**   이에요.

◎ 정답 ❶ 합동

[1~2] 왼쪽 도형과 서로 합동인 도형을 찾아 ◯표 하세요.

1

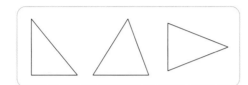

포개었을 때 남거나 모자란 부분이 없이 완전히 겹치는 두 도형이 서로 합동이에요.

2

3 서로 합동인 도형을 모두 찾아보세요.

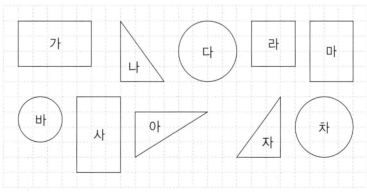

가와 ☐ , 나와 ☐ , 다와 ☐

3

합동과 대칭

자, 무엇을 먼저 도와 드릴까요?

그럼 이것 좀 부탁드려요.

어떤?

이 도면대로 종이를 잘라 주세요.

맡겨만 주세요.

이건 합동인 두 도형? 너희 합동인 두 도형을 포개었을 때 겹치는 곳을 알고 있니?

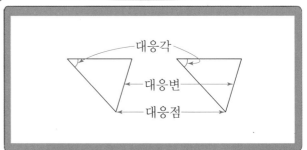

서로 합동인 두 도형을 포개었을 때 완전히 겹치는 점을 대응점, 겹치는 변을 대응변, 겹치는 각을 대응각이라 하지.

대응각

대응변

대응점

자, 이제 이건 너희가 자를 수 있지?

난 역시 천재야. 계획대로 착착 진행되고 있어.

ㅋㅋㅋ

그런데 진짜 연구 노트는 어디 있지?

두리번 두리번

박사님, 뭐 찾으세요?

아냐, 아니란다.

왜?

저 박사님 어디서 본 것 같단 말이야.

어디서 봤지?

응~

◎ 합동인 도형의 성질

• 서로 합동인 두 도형을 포개었을 때,

대응점: 겹치는 점

대응변: 겹치는 변

대응각: 겹치는 각

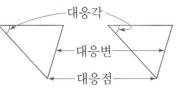

서로 합동인 두 삼각형에서 대응점, 대응변, 대응각을 각각 찾을 수 있어요.

• 합동인 도형의 성질

① 서로 합동인 두 도형에서 각각의 대응변의 길이가 서로 (**❶ 같습니다** , 다릅니다).

② 서로 합동인 두 도형에서 각각의 대응각의 크기가 서로 같습니다.

↻ 정답 **❶ 같습니다**에 ○표

1 두 삼각형은 서로 합동입니다. 물음에 답하세요.

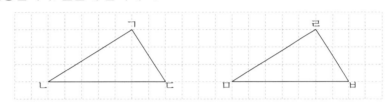

(1) 점 ㄴ의 대응점을 써 보세요.

(   )

(2) 변 ㄴㄷ의 대응변을 써 보세요.

(   )

(3) 각 ㄴㄷㄱ의 대응각을 써 보세요.

(   )

[2~3] 두 사각형은 서로 합동입니다. 물음에 답하세요.

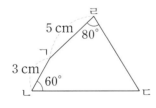

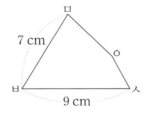

서로 합동인 두 사각형에서 각각의 대응변의 길이가 서로 같고, 각각의 대응각의 크기가 서로 같아요.

2 변 ㄴㄷ은 몇 cm일까요?

(   )

3 각 ㅂㅁㅇ은 몇 도일까요?

(   )

3

합동과 대칭

개념 집중 연습

도형의 합동

[01~05] 왼쪽 도형과 서로 합동인 도형에 ◯표 하세요.

01

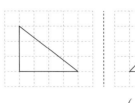

(   ) (   )

02

(   ) (   )

03

(   ) (   )

04

(   ) (   )

05

(   ) (   )

[06~07] 주어진 도형과 서로 합동인 도형을 그려 보세요.

06

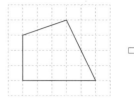 ⇨

07

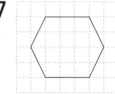 ⇨

합동인 도형의 성질

[08~10] 두 삼각형은 서로 합동입니다. 물음에 답하세요.

 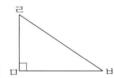

08 점 ㄱ의 대응점을 써 보세요.

(   )

09 변 ㄱㄷ의 대응변을 써 보세요.

(   )

10 각 ㄱㄴㄷ의 대응각을 써 보세요.

(   )

[11~12] 두 사각형은 서로 합동입니다. 물음에 답하세요.

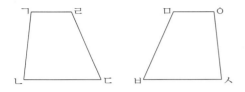

11 점 ㄷ의 대응점을 써 보세요.

( )

12 변 ㄱㄹ의 대응변을 써 보세요.

( )

[13~15] 두 사각형은 서로 합동입니다. 물음에 답하세요.

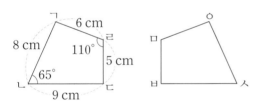

13 변 ㅁㅂ은 몇 cm일까요?

( )

14 변 ㅇㅅ은 몇 cm일까요?

( )

15 각 ㅇㅁㅂ은 몇 도일까요?

( )

[16~20] 두 도형은 서로 합동입니다. □ 안에 알맞은 수를 써넣으세요.

16

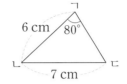
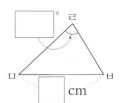

17

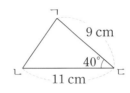
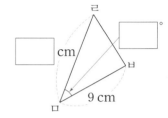

18

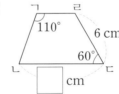
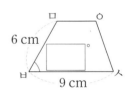

19

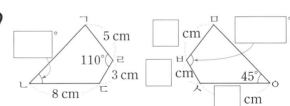

20

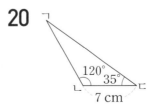
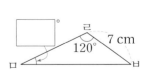

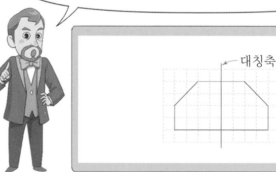

◎ 선대칭도형과 그 성질

- 한 직선을 따라 접어서 완전히 겹치는 도형을 선대칭도형이라고 합니다.
  이때 그 직선을 대칭축이라고 합니다.
- 대칭축을 따라 포개었을 때 겹치는 점을 대응점, 겹치는 변을 대응변, 겹치는 각을 대응각이라고 합니다.

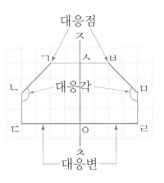

- 선대칭도형의 성질
  ① 선대칭도형에서 각각의 대응변의 길이가 서로 같고, 각각의 대응각의 크기가 서로 (**①** 같습니다, 다릅니다).
  ② 선대칭도형의 대응점끼리 이은 선분은 대칭축과 수직으로 만납니다.
  ③ 선대칭도형에서 대칭축은 대응점끼리 이은 선분을 둘로 똑같이 나누므로 각각의 대응점에서 대칭축까지의 거리가 서로 (**②** 같습니다 , 다릅니다).

◑ 정답 **①** 같습니다에 ○표 **②** 같습니다에 ○표

1 선대칭도형을 모두 찾아 기호를 쓰세요.

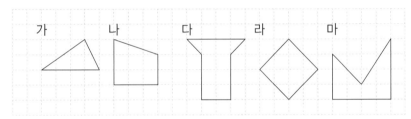

(   )

[2~3] 다음 도형은 선대칭도형입니다. 대칭축을 모두 그려 보세요.

2

3

선대칭도형의 대칭축은 1개예요?

선대칭도형에서 대칭축이 꼭 1개인 것은 아니란다.

4개

4 오른쪽 선대칭도형을 보고 물음에 답하세요.

(1) 점 ㄱ의 대응점을 써 보세요. (   )

(2) 변 ㄴㅂ의 대응변을 써 보세요. (   )

(3) 각 ㄱㄴㅂ의 대응각을 써 보세요. (   )

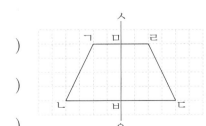

무엇을 도와 드릴까요?

모형 비행기를 한번 만들어 보려고요.

일단 본체를 만들어야 해요.

그건 쉽죠.

일단 선대칭도형을 그려서 만들어 보죠.

오~ 역시

다음과 같은 방법을 이용하여 선대칭도형을 그려요.

① 대칭축을 중심으로 점 ㄴ, 점 ㄷ의 대응점을 각각 찾아 점 ㅇ, 점 ㅈ 으로 표시하기
② 점 ㄹ과 점 ㅈ, 점 ㅈ과 점 ㅇ, 점 ㅇ 과 점 ㄱ을 차례로 이어 선대칭도형 완성하기

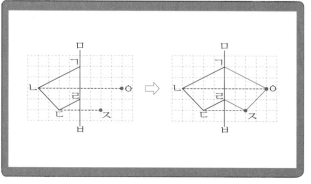

자, 그럼 만들어 볼까요?

그러죠~

뚝 딱

뚝 딱

그런데 아저씨, 갑자기 왜 모형 비행기를 만드세요?

아무래도 큰 비행기를 만들기엔 돈이 부족해서……

일단 모형 비행기로 실험해 본 뒤 제작하려고~.

앗! 아저씨~.

오예?

저 좋은 생각이 났어요!

응?

• 스피드 정답표 6쪽, 정답 29쪽 　월　　일

◎ 선대칭도형을 그리는 방법

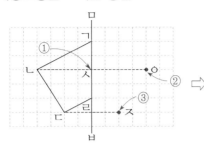 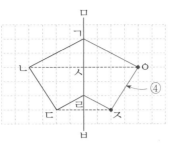 

대칭축에 있는 점 ㄱ은 대응점이 그 점 자신과 같아요.

① 점 ㄴ에서 대칭축 ㅁㅂ에 수선을 긋고, 대칭축과 만나는 점을 찾아 점 ㅅ으로 표시합니다.

② 이 수선에 선분 ㄴㅅ과 길이가 같은 선분 ㅇㅅ이 되도록 점 ㄴ의 대응점을 찾아 점 ㅇ으로 표시합니다.

③ 위와 같은 방법으로 점 ㄷ의 대응점을 찾아 점 ㅈ으로 표시합니다.

④ 점 ㄹ과 점 ㅈ, 점 ㅈ과 점 ㅇ, 점 ㅇ과 점 ㄱ을 차례로 이어 ❶[　　　　] 도형이 되도록 그립니다.

◎ 정답 ❶ 선대칭

---

1 선대칭도형이 되도록 오른쪽 그림을 완성하려고 합니다. 물음에 답하세요.

⑴ 점 ㄴ과 점 ㄷ의 대응점을 각각 점 ㅅ, 점 ㅇ으로 표시해 보세요.

⑵ 점 ㄹ과 점 ㅇ, 점 ㅇ과 점 ㅅ, 점 ㅅ과 점 ㄱ을 차례로 이어 선대칭도형을 완성해 보세요.

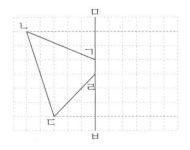

[2~4] 선대칭도형이 되도록 그림을 완성해 보세요.

2

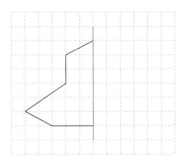

선대칭도형에서 대응점은 어떻게 찾아요?

대응점은 대칭축을 중심으로 반대 방향에 같은 거리만큼 떨어진 곳에 있단다.

3

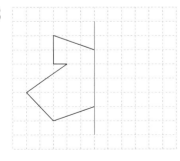

4

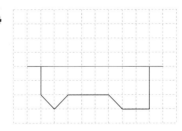

선대칭도형과 그 성질

[01~02] 선대칭도형을 찾아 ○표 하세요.

01

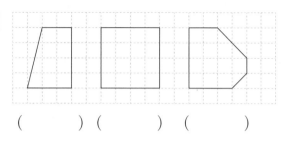

( ) ( ) ( )

02

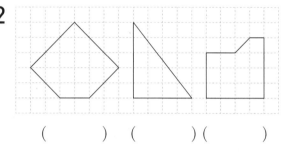

( ) ( ) ( )

[03~04] 다음 도형은 선대칭도형입니다. 대칭축을 모두 그려 보세요.

03

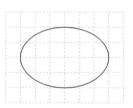

04

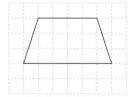

[05~07] 선대칭도형을 보고 물음에 답하세요.

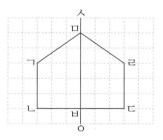

05 점 ㄴ의 대응점을 써 보세요.

( )

06 변 ㄱㄴ의 대응변을 써 보세요.

( )

07 각 ㄱㄴㅂ의 대응각을 써 보세요.

( )

[08~09] 선대칭도형을 보고 물음에 답하세요.

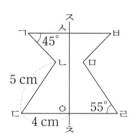

08 변 ㄹㅁ은 몇 cm일까요?

( )

09 각 ㄴㄷㅇ은 몇 도일까요?

( )

[10~13] 직선 ㄱㄴ을 대칭축으로 하는 선대칭도형입니다. □ 안에 알맞은 수를 써넣으세요.

10

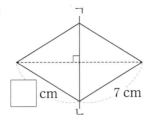

□ cm　7 cm

11

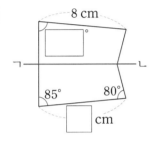

8 cm
85°　80°
□ cm

12

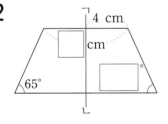

4 cm
□ cm
65°
□°

13

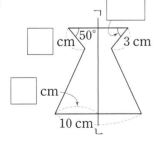

□°
□ cm　50°　3 cm
□ cm
10 cm

선대칭도형을 그리는 방법

[14~17] 선대칭도형이 되도록 그림을 완성해 보세요.

14

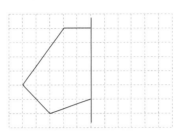

15

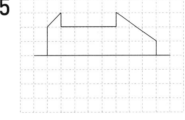

16

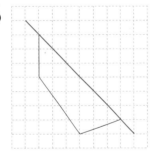

17

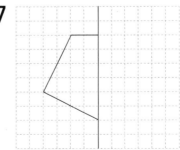

3

합동과 대칭

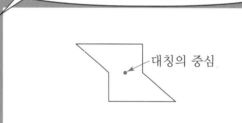

◎ **점대칭도형과 그 성질**

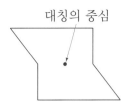

대칭의 중심

- 한 도형을 어떤 점을 중심으로 180° 돌렸을 때 처음 도형과 완전히 겹치면 이 도형을 점대칭도형이라고 합니다. 이때 그 점을 대칭의 중심이라고 합니다.

- 대칭의 중심을 중심으로 180° 돌렸을 때 겹치는 점을 대응점, 겹치는 변을 대응변, 겹치는 각을 대응각이라고 합니다.

- 점대칭도형의 성질

① 점대칭도형에서 각각의 대응변의 길이가 서로 같고, 각각의 대응각의 [❶   ]가 서로 같습니다.

② 점대칭도형에서 대칭의 중심은 대응점끼리 이은 선분을 둘로 똑같이 나누므로 각각의 대응점에서 대칭의 중심까지의 거리가 서로 (❷ 같습니다 , 다릅니다).

◐ 정답   ❶ 크기   ❷ 같습니다에 ◯표

1 점대칭도형을 모두 찾아 기호를 쓰세요.

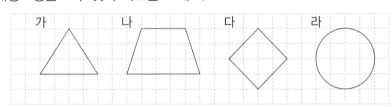

가   나   다   라

(   )

[2~3] 다음 도형은 점대칭도형입니다. 대칭의 중심을 찾아 표시해 보세요.

2

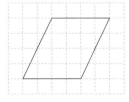

3

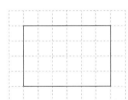

대칭의 중심은 어떻게 찾지?

대응점끼리 이은 선분이 만나는 점을 찾아봐.

3

합동과 대칭

4 오른쪽은 점 ㅇ을 대칭의 중심으로 하는 점대칭도형입니다. 물음에 답하세요.

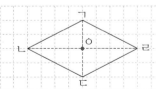

(1) 점 ㄴ의 대응점을 써 보세요.

(   )

(2) 변 ㄴㄷ의 대응변을 써 보세요.

(   )

(3) 각 ㄱㄴㄷ의 대응각을 써 보세요.

(   )

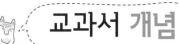

갑자기 어디 가세요?

난 배가 아파서 화장실에 가려고…….

이… 이제 괜찮네. 참! 너희 점대칭도형은 그릴 줄 아니?

아니오~

그럼 내가 알려줄게.

점대칭도형은 다음과 같은 방법으로 그릴 수 있지.

① 각 점에서 대칭의 중심을 지나는 직선 긋기
② 점 ㄴ, 점 ㄷ, 점 ㄹ에서 대칭의 중심까지의 길이가 같도록 각각 대응점을 찾아 점 ㅂ, 점 ㅅ, 점 ㅈ으로 표시하기 (점 ㄱ의 대응점은 점 ㅁ)
③ 대응점을 차례로 이어 점대칭도형 완성하기

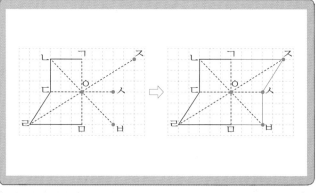

바람개비가 완성되었으니 이제 비행기에 달아보자.

너!!

지금이 기회다!

어디 있는 거야?

저기다!

드디어 찾았다.

◎ 점대칭도형을 그리는 방법

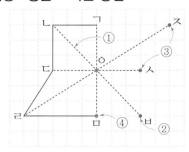 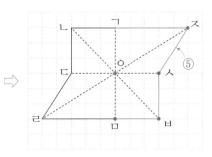

대응점끼리 이은 선분은 대칭의 중심에 의해 길이가 같게 나누어져요.

① 점 ㄴ에서 대칭의 중심인 점 **❶** 을 지나는 직선을 긋습니다.

② 이 직선에 선분 ㄴㅇ과 길이가 같은 선분 ㅂㅇ이 되도록 점 ㄴ의 대응점을 찾아 점 ㅂ으로 표시합니다.

③ 위와 같은 방법으로 점 ㄷ과 점 ㄹ의 대응점을 찾아 점 ㅅ과 점 ㅈ으로 각각 표시합니다.

④ 점 ㄱ의 대응점은 점 ㅁ입니다.

⑤ 점 ㅁ과 점 ㅂ, 점 ㅂ과 점 ㅅ, 점 ㅅ과 점 ㅈ, 점 ㅈ과 점 ㄱ을 차례로 이어 **❷**   도형이 되도록 그립니다.

🔁 정답 ❶ ㅇ ❷ 점대칭

---

1 점대칭도형이 되도록 오른쪽 그림을 완성하려고 합니다. 물음에 답하세요.

(1) 점 ㄴ, 점 ㄷ의 대응점을 각각 점 ㅁ, 점 ㅂ으로 표시해 보세요.

(2) 점 ㄹ과 점 ㅁ, 점 ㅁ과 점 ㅂ, 점 ㅂ과 점 ㄱ을 차례로 이어 점대칭도형을 완성해 보세요.

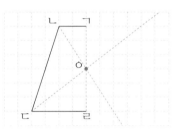

[2~4] 점대칭도형이 되도록 그림을 완성해 보세요.

2

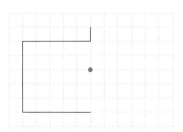

점대칭도형에서 대응점은 어떻게 찾아?

각 점에서 대칭의 중심을 지나는 직선을 그어 같은 거리만큼 떨어진 곳에 있는 점을 찾아.

3

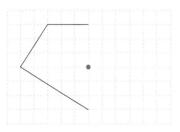

4

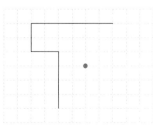

3

합동과 대칭

점대칭도형과 그 성질

[01~02] 점대칭도형을 찾아 ○표 하세요.

01

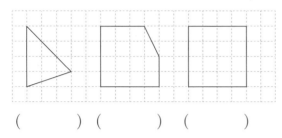

(   ) (   ) (   )

02

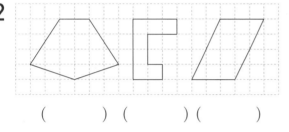

(   ) (   ) (   )

[03~04] 다음 도형은 점대칭도형입니다. 대칭의 중심을 찾아 표시해 보세요.

03

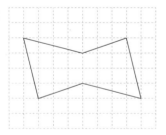

04

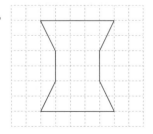

[05~07] 점 ㅇ을 대칭의 중심으로 하는 점대칭도형입니다. 물음에 답하세요.

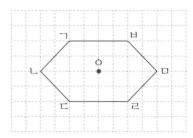

05 점 ㄷ의 대응점을 써 보세요.

(   )

06 변 ㅁㄹ의 대응변을 써 보세요.

(   )

07 각 ㄱㄴㄷ의 대응각을 써 보세요.

(   )

[08~09] 점 ㅇ을 대칭의 중심으로 하는 점대칭도형입니다. 물음에 답하세요.

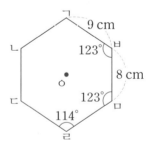

08 변 ㄴㄷ은 몇 cm일까요?

(   )

09 각 ㄴㄷㄹ은 몇 도일까요?

(   )

[10~13] 점 ○을 대칭의 중심으로 하는 점대칭도형입니다. □ 안에 알맞은 수를 써넣으세요.

10

☐ cm

95°

☐ cm

9 cm

4 cm

☐°

11

☐ cm 50°

☐ cm

1.5 cm

5 cm

☐°

12

4 cm

50°

☐ cm

3 cm

☐ cm

13

9 cm

35°

☐ cm

3 cm

☐°

☐ cm

점대칭도형을 그리는 방법

[14~17] 점대칭도형이 되도록 그림을 완성해 보세요.

14

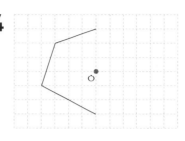

15

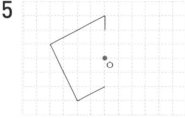

16

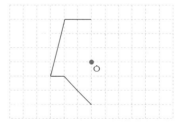

17

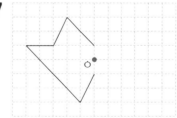

3

합동과 대칭

01 왼쪽 도형과 포개었을 때 완전히 겹치는 도형을 찾아 기호를 써 보세요.

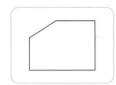

( )

02 왼쪽 도형과 서로 합동인 도형을 찾아 ◯표 하세요.

포개었을 때 완전히 겹치는 두 도형을 서로 합동이라고 해요.

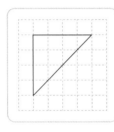 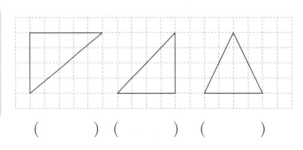

( ) ( ) ( )

03 선대칭도형을 모두 찾아 ◯표 하세요.

• 한 직선을 따라 접어서 완전히 겹치는 도형을 선대칭도형이라고 합니다.

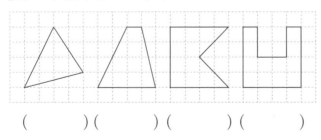

( ) ( ) ( ) ( )

04 점대칭도형을 모두 찾아 ◯표 하세요.

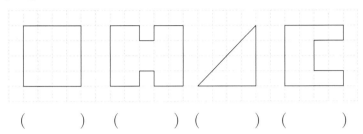

(   ) (   ) (   ) (   )

Tip

· 한 도형을 어떤 점을 중심으로 180° 돌렸을 때 처음 도형과 완전히 겹치면 점대칭도형입니다.

05 다음 도형은 선대칭도형입니다. 대칭축을 모두 그려 보세요.

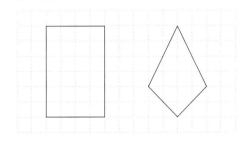

도형에서 한 직선을 따라 접었을 때 완전히 겹치도록 하는 직선을 그려 보세요.

06 주어진 도형과 서로 합동인 도형을 그려 보세요.

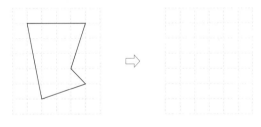

07 다음 도형은 점대칭도형입니다. 대칭의 중심을 찾아 표시해 보세요.

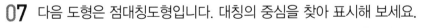
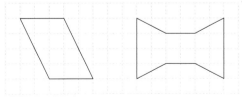

· 대응점끼리 이은 선분이 만나는 점을 찾아 표시합니다.

3

합동과 대칭

08 두 삼각형은 서로 합동입니다. 물음에 답하세요.

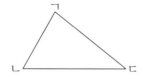 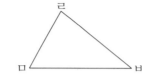

(1) 점 ㄴ의 대응점을 써 보세요.

( )

(2) 변 ㄴㄷ의 대응변을 써 보세요.

( )

(3) 각 ㄷㄱㄴ의 대응각을 써 보세요.

( )

Tip

· 서로 합동인 두 도형을 포개
었을 때
대응점: 겹치는 점
대응변: 겹치는 변
대응각: 겹치는 각

09 두 사각형은 서로 합동입니다. 물음에 답하세요.

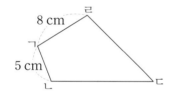 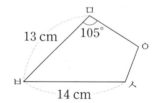

(1) 변 ㅇㅅ은 몇 cm일까요?

( )

(2) 각 ㄷㄹㄱ은 몇 도일까요?

( )

(3) 사각형 ㄱㄴㄷㄹ의 둘레는 몇 cm일까요?

( )

대응변, 대응각을
찾아 문제를 풀어
보세요.

10 선대칭도형을 보고 물음에 답하세요.

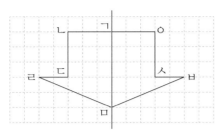

(1) 점 ㄹ의 대응점을 써 보세요.

(   )

(2) 변 ㄹㅁ의 대응변을 써 보세요.

(   )

(3) 각 ㄷㄹㅁ의 대응각을 써 보세요.

(   )

11 점 ㅇ을 대칭의 중심으로 하는 점대칭도형입니다. 물음에 답하세요.

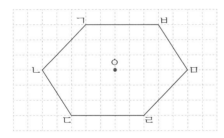

(1) 변 ㄱㄴ의 대응변을 써 보세요.

(   )

(2) 각 ㄴㄷㄹ의 대응각을 써 보세요.

(   )

12 직선 ㄱㄴ을 대칭축으로 하는 선대칭도형입니다. □ 안에 알맞은 수를 써 넣으세요.

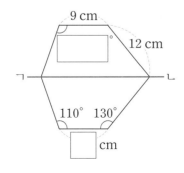

3

합동과 대칭

01 도형 가와 합동인 도형을 찾아 기호를 쓰세요.

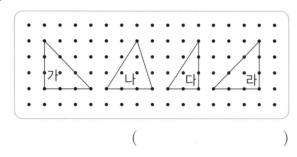

(   )

[02~04] 도형을 보고 물음에 답하세요.

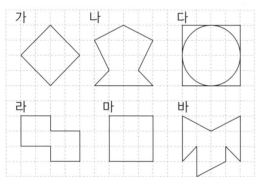

02 선대칭도형을 모두 찾아 기호를 쓰세요.

(   )

03 점대칭도형을 모두 찾아 기호를 쓰세요.

(   )

04 선대칭도형이면서 점대칭도형인 것을 모두 찾아 기호를 쓰세요.

(   )

05 선대칭도형에서 대칭축은 모두 몇 개일까요?

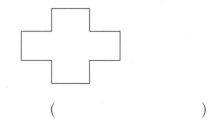

(   )

06 두 삼각형은 서로 합동입니다. □ 안에 알맞은 수를 써넣으세요.

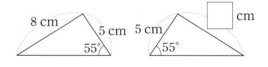

07 선대칭도형 중에서 대칭축이 가장 많은 것은 어느 것일까요? ·······················( )

08 다음 도형은 점대칭도형입니다. 대칭의 중심을 찾아 쓰세요.

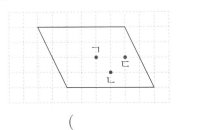

( )

09 두 사각형은 서로 합동입니다. 대응점, 대응변, 대응각을 각각 쓰세요.

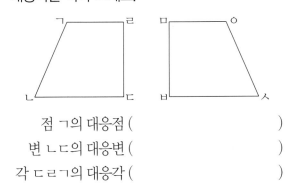

점 ㄱ의 대응점 ( )
변 ㄴㄷ의 대응변 ( )
각 ㄷㄹㄱ의 대응각 ( )

[10~11] 두 삼각형은 서로 합동입니다. 물음에 답하세요.

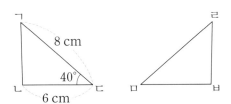

10 변 ㅁㅂ은 몇 cm일까요?

( )

11 각 ㄹㅁㅂ은 몇 도일까요?

( )

12 직선 ㄱㄴ을 대칭축으로 하는 선대칭도형이 되도록 그림을 완성해 보세요.

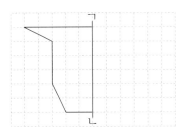

13 점 ㅇ을 대칭의 중심으로 하는 점대칭도형이 되도록 그림을 완성해 보세요.

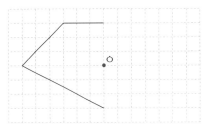

14 점대칭도형에 대한 설명으로 잘못된 것을 찾아 기호를 쓰세요.

> ㉠ 대응변의 길이는 서로 같습니다.
> ㉡ 대응각의 크기는 서로 같습니다.
> ㉢ 대칭의 중심의 수는 도형에 따라 다릅니다.
> ㉣ 대응점끼리 이은 선분은 대칭의 중심에 의하여 길이가 같게 나누어집니다.

( )

3

합동과 대칭

15 직선 ㅅㅇ을 대칭축으로 하는 선대칭도형입니다. □ 안에 알맞은 수를 써넣으세요.

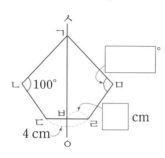

16 점 ㅇ을 대칭의 중심으로 하는 점대칭도형입니다. □ 안에 알맞은 수를 써넣으세요.

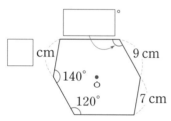

17 두 삼각형은 서로 합동입니다. 각 ㄹㅂㅁ은 몇 도일까요?

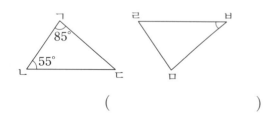

( )

18 두 삼각형은 서로 합동입니다. 삼각형 ㄹㅁㅂ의 둘레는 몇 cm일까요?

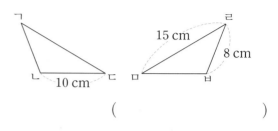

( )

19 선분 ㄱㄷ을 대칭축으로 하는 선대칭도형입니다. 선분 ㄱㄷ의 길이가 14 cm일 때, 삼각형 ㄱㄴㄷ의 넓이는 몇 cm^2일까요?

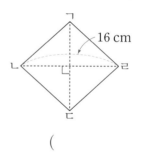

( )

20 점 ㅇ을 대칭의 중심으로 하는 점대칭도형입니다. 선분 ㄷㅂ은 몇 cm일까요?

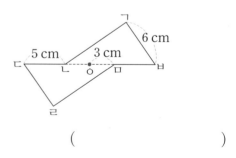

( )

스스로 학습장

스스로 학습장은 이 단원에서 배운 것을 확인하는 코너입니다.
몰랐던 것은 꼭 다시 공부해서 내 것으로 만들어 보아요.

• 스피드 정답표 7쪽, 정답 32쪽

✺ 질문에 답을 해 보면서 합동과 대칭을 정리해 보세요.

1 두 삼각형이 서로 합동일 때 ☐ 안에 알맞은 수를 써넣어요.

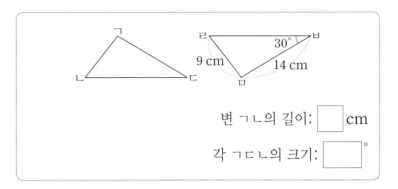

변 ㄱㄴ의 길이: ☐ cm

각 ㄱㄷㄴ의 크기: ☐ °

2

직선 ㄱㄴ을 대칭축으로 하는 선대칭도형의 ☐ 안에 알맞은 수를 써넣어요.

3 점 ㅇ을 대칭의 중심으로 하는 점대칭도형의 둘레를 구해봐요.

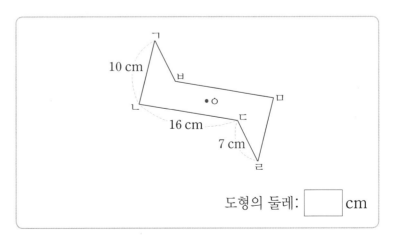

도형의 둘레: ☐ cm

4

소수의 곱셈

QR 코드를 찍으면
4단원 개념 동영상
강의를 볼 수 있어요.

📖 이번에 배울 내용

- (소수)×(자연수)
- (자연수)×(소수)
- (소수)×(소수)
- 곱의 소수점 위치

그럼 날려볼게.

성공이다!

왜! 아주 잘 날아요.

이로서 비행기 완성에 한 걸음 더 다가갔어!

응!!

앗!! 갑자기 배가…….

랭리 박사님은 장이 많이 안 좋으신가 보네.

아무도 없으니 이제 금고 안을 살펴볼까?

소수의 덧셈 암호? 이 정도는 쉽지!

0.67
+0.14

소수점을 맞추어 세로로 쓰고 각 자리 수끼리 더하여 계산하면 암호는 0.81이지.

$$\begin{array}{r} 1 \\ 0.67 \\ +\ 0.14 \\ \hline 0.81 \end{array}$$

역시 여기에 숨겨두었군.

이게 있으면 내가 먼저 비행기를 만들 수 있겠어.

라이트 형제가 오기 전에 어서 돌아가자!

비행기 연구소

1 빈칸에 알맞은 수를 써넣으세요.

$\frac{1}{10}$배 $\frac{1}{10}$배 10배 10배

	0.1	1		

2 □ 안에 알맞은 수를 써넣으세요.

(1) 1.35의 10배는 13.5이고, 100배는 □ 입니다.

(2) 25.8의 $\frac{1}{10}$배는 □ 이고, $\frac{1}{100}$배는 □ 입니다.

3 분수와 소수의 크기를 비교하여 가장 큰 수를 쓰세요.

$\frac{4}{5}$	0.7	$\frac{1}{2}$

( )

개념 체크 **1** ◀ 4학년 2학기 3단원

1, 0.1, 0.01, 0.001 사이의 관계

$\frac{1}{10}$배 $\frac{1}{10}$배 $\frac{1}{10}$배

1	0.1	0.01	0.001

10배 10배 10배

개념 체크 **2** ◀ 4학년 2학기 3단원

소수 사이의 관계

ㄱ.ㄴㄷㄹ의 —— 10배 ⇨ ㄱㄴ.ㄷㄹ
—— 100배 ⇨ ㄱㄴㄷ.ㄹ
—— 1000배 ⇨ ㄱㄴㄷㄹ

ㄱㄴㄷ의 —— $\frac{1}{10}$배 ⇨ ㄱㄴ.ㄷ
—— $\frac{1}{100}$배 ⇨ ㄱ.ㄴㄷ
—— $\frac{1}{1000}$배 ⇨ 0.ㄱㄴㄷ

개념 체크 **3** ◀ 5학년 1학기 4단원

분수와 소수의 크기 비교

• $\frac{3}{5}$과 0.5의 크기 비교

방법1 분수를 소수로 고쳐 크기 비교하기

$\frac{3}{5} = \frac{6}{10} = 0.6$이므로 $0.6 > 0.5$

⇨ $\frac{3}{5} > 0.5$

방법2 소수를 분수로 고쳐 크기 비교하기

$0.5 = \frac{5}{10}$이므로 $\frac{3}{5}\left(= \frac{6}{10}\right) > \frac{5}{10}$

⇨ $\frac{3}{5} > 0.5$

4 수직선을 보고 ☐ 안에 알맞은 수를 써넣으세요.

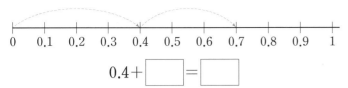

$$0.4 + \boxed{} = \boxed{}$$

5 계산해 보세요.

(1)
```
  0.2 8
+ 1.9
```

(2)
```
  1.7 6
- 0.8
```

6 ☐ 안에 알맞은 수를 써넣으세요.

$$8 \times \frac{5}{12} = \frac{\overset{\boxed{}}{\cancel{8} \times 5}}{\underset{3}{\cancel{12}}} = \frac{\boxed{}}{\boxed{}} = \boxed{}\frac{\boxed{}}{\boxed{}}$$

7 빈칸에 알맞은 수를 써넣으세요.

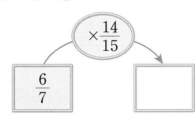

개념 체크 4 ◀ 4학년 2학기 3단원

소수 한 자리 수의 덧셈

```
  0.5
+ 0.2
─────
  0.7
```

소수점의 자리를 맞추어 세로로 쓰고 같은 자리 수끼리 더합니다.

개념 체크 5 ◀ 4학년 2학기 3단원

자릿수가 다른 소수의 계산

```
    1
  1.4 3          2.1 0
+ 0.8 0        - 1.0 4
───────        ───────
  2.2 3          1.0 6
```

소수 끝자리 뒤에 0이 있는 것으로 생각하여 자릿수를 맞추어 계산합니다.

개념 체크 6 ◀ 5학년 2학기 2단원

(자연수) × (진분수)

$$4 \times \frac{3}{8} = \frac{\overset{1}{\cancel{4}} \times 3}{\underset{2}{\cancel{8}}} = \frac{3}{2} = 1\frac{1}{2}$$

자연수와 분자를 곱하기 전, 분자와 분모를 4로 약분하여 계산합니다.

개념 체크 7 ◀ 5학년 2학기 2단원

(진분수) × (진분수)

• $\dfrac{3}{5} \times \dfrac{2}{9}$의 계산

방법1 $\dfrac{3}{5} \times \dfrac{2}{9} = \dfrac{3 \times 2}{5 \times 9} = \dfrac{\overset{2}{\cancel{6}}}{\underset{15}{\cancel{45}}} = \dfrac{2}{15}$

방법2 $\dfrac{3}{5} \times \dfrac{2}{9} = \dfrac{\overset{1}{\cancel{3}} \times 2}{5 \times \underset{3}{\cancel{9}}} = \dfrac{2}{15}$

방법3 $\dfrac{\overset{1}{\cancel{3}}}{5} \times \dfrac{2}{\underset{3}{\cancel{9}}} = \dfrac{2}{15}$

4

소수의 곱셈

응? 어디 가시는 거지?

앗! 저건 설마?

라이트 형제 아저씨들의 비밀 연구노트 같은데 어떡하지?

일단 따라 가보자.

락 락 락 락

이 사실을 알려줘야 하는데……. 어떻게 알려주지?

아~ 이게 있었지.

오빠에게 연락해서 지금 상황을 알려줘야겠어.

뭐야~ 소수의 곱셈 암호가 걸려 있잖아. $0.2 \times 6 = ?$

$0.2 \times 6 = ?$

분수의 곱셈으로 계산해 보면 $0.2 = \dfrac{2}{10}$니까 $0.2 \times 6 = 1.2$야.

〈분수의 곱셈으로 계산하기〉

$$0.2 \times 6 = \frac{2}{10} \times 6 = \frac{2 \times 6}{10}$$
$$= \frac{12}{10} = 1.2$$

오빠 나와라! 오빠 나와라!

◎ **(소수)×(자연수)** (1) — (1보다 작은 소수)×(자연수)

• 0.2×6의 계산

방법1 덧셈식으로 계산하기

$$0.2 \times 6 = 0.2 + 0.2 + 0.2 + 0.2 + 0.2 + 0.2 = \boxed{}^{❶}$$
———— 6번 ————

방법2 분수의 곱셈으로 계산하기

$$0.2 \times 6 = \frac{2}{10} \times 6 = \frac{2 \times 6}{10} = \frac{\boxed{}^{❷}}{10} = 1.2$$

방법3 0.1의 개수로 계산하기

$$0.2 \times 6 = 0.1 \times 2 \times 6$$
$$= 0.1 \times 12$$

0.1이 모두 $\boxed{}^{❸}$ 개이므로 0.2×6=1.2입니다.

방법2에서 소수 한 자리 수는 분모가 10인 분수로 나타내어 계산해요.

◌ 정답 ❶ 1.2 ❷ 12 ❸ 12

4

소수의 곱셈

---

1 0.5×3을 여러 가지 방법으로 계산한 것입니다. ☐ 안에 알맞은 수를 써넣으세요.

방법1 $0.5 \times 3 = 0.5 + 0.5 + \boxed{} = \boxed{}$

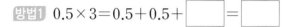

방법2 $0.5 \times 3 = \dfrac{\boxed{}}{10} \times 3 = \dfrac{\boxed{} \times 3}{10} = \dfrac{\boxed{}}{10} = \boxed{}$

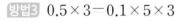

방법3 $0.5 \times 3 = 0.1 \times 5 \times 3$
$$= 0.1 \times \boxed{}$$

0.1이 모두 $\boxed{}$ 개이므로 0.5×3= $\boxed{}$ 입니다.

0.5×3은 0.5를 3번 더한 것과 같으니까 덧셈식으로 계산해 봐야지.

난 $0.5 = \dfrac{5}{10}$ 니까 분수의 곱셈으로 계산해 볼래.

[2~5] 계산해 보세요.

2 0.3×9

3 0.7×4

4 0.8×7

5 0.23×4

이제 곧 우리가 탈 수 있는 비행기를 완성할 수 있겠어.

그런데 수지는 어디 갔어?

화장실 간다고 했는데 아직 안 왔어?

수호야, 네 시계 좀 봐!

어?

수지에게 연락이 왔네.

수지?

어라? 연락을 받으려면 암호를 풀라고?

$1.4 \times 3 = ?$ 이걸 어떻게 계산하지?

그건 내가 알려줄게.

$1.4 \times 3 = ?$

분수의 곱셈으로 계산해 보면 $1.4 = \dfrac{14}{10}$ 니까 $1.4 \times 3 = 4.2$야.

〈분수의 곱셈으로 계산하기〉

$$1.4 \times 3 = \frac{14}{10} \times 3 = \frac{14 \times 3}{10}$$

$$= \frac{42}{10} = 4.2$$

그럼 여기에 4.2를 입력하면 되는 건가?

얼른 해봐.

오빠 나와라

수지야, 너 화장실 간다더니 왜 안 와?

치이익~ 칙칙… 지금… 난… 랭리 박사님을……

뭐라는 거야? 무슨 말인지 잘 안 들려.

설마!

◎ (소수)×(자연수) (2) – (1보다 큰 소수)×(자연수)

• 1.4×3의 계산

방법1 덧셈식으로 계산하기

$$1.4 \times 3 = 1.4 + 1.4 + 1.4 = \boxed{}^{❶}$$
$$\underbrace{}_{3번}$$

방법2 분수의 곱셈으로 계산하기

$$1.4 \times 3 = \frac{\boxed{}^{❷}}{10} \times 3 = \frac{14 \times 3}{10} = \frac{42}{10} = 4.2$$

방법3 0.1의 개수로 계산하기

$$1.4 \times 3 = 0.1 \times 14 \times 3$$
$$= 0.1 \times 42$$

0.1이 모두 42개이므로 $1.4 \times 3 = \boxed{}^{❸}$ 입니다.

방법3 에서
1.4는 0.1이 14개니까
1.4 × 3은 0.1이 모두
몇 개인지 알아보세요.

4
소수의 곱셈

◐ 정답 ❶ 4.2 ❷ 14 ❸ 4.2

1 그림을 보고 □ 안에 알맞은 수를 써넣으세요.

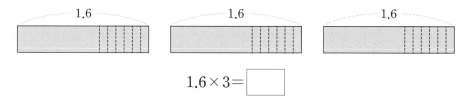

1.6   1.6   1.6

$$1.6 \times 3 = \boxed{}$$

[2~3] □ 안에 알맞은 수를 써넣으세요.

2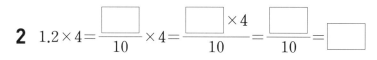
$$1.2 \times 4 = \frac{\boxed{}}{10} \times 4 = \frac{\boxed{} \times 4}{10} = \frac{\boxed{}}{10} = \boxed{}$$

소수 한 자리 수는
분모가 10인 분수로
나타내고~

소수 두 자리 수는
분모가 100인
분수로 나타내요.

3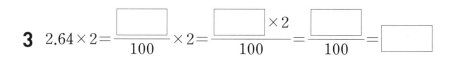
$$2.64 \times 2 = \frac{\boxed{}}{100} \times 2 = \frac{\boxed{} \times 2}{100} = \frac{\boxed{}}{100} = \boxed{}$$

[4~5] 계산해 보세요.

4 5.6×8

5 2.76×4

2단계

(소수)×(자연수) (1)

[01~05] □ 안에 알맞은 수를 써넣으세요.

01 $0.3 \times 7 = \dfrac{\boxed{}}{10} \times 7 = \dfrac{\boxed{} \times 7}{10}$

$= \dfrac{\boxed{}}{10} = \boxed{}$

02 $0.5 \times 5 = \dfrac{\boxed{}}{10} \times 5 = \dfrac{\boxed{} \times 5}{10}$

$= \dfrac{\boxed{}}{10} = \boxed{}$

03 $0.9 \times 4 = \dfrac{\boxed{}}{10} \times 4 = \dfrac{\boxed{} \times 4}{10}$

$= \dfrac{\boxed{}}{10} = \boxed{}$

04 $0.26 \times 7 = \dfrac{\boxed{}}{100} \times 7 = \dfrac{\boxed{} \times 7}{100}$

$= \dfrac{\boxed{}}{100} = \boxed{}$

05 $0.74 \times 3 = \dfrac{\boxed{}}{100} \times 3 = \dfrac{\boxed{} \times 3}{100}$

$= \dfrac{\boxed{}}{100} = \boxed{}$

[06~07] 보기 와 같이 분수의 곱셈으로 계산해 보세요.

보기
$$0.6 \times 3 = \dfrac{6}{10} \times 3 = \dfrac{6 \times 3}{10} = \dfrac{18}{10} = 1.8$$

06 0.4×6

07 0.7×5

[08~10] 계산해 보세요.

08 0.6×8

09 0.7×9

10 0.81×4

(소수)×(자연수) ⑵

[11~15] □ 안에 알맞은 수를 써넣으세요.

11 $2.2 \times 3 = \dfrac{\boxed{}}{10} \times 3 = \dfrac{\boxed{} \times 3}{10}$

$= \dfrac{\boxed{}}{10} = \boxed{}$

12 $1.7 \times 5 = \dfrac{\boxed{}}{10} \times 5 = \dfrac{\boxed{} \times 5}{10}$

$= \dfrac{\boxed{}}{10} = \boxed{}$

13 $6.3 \times 2 = \dfrac{\boxed{}}{10} \times 2 = \dfrac{\boxed{} \times 2}{10}$

$= \dfrac{\boxed{}}{10} = \boxed{}$

14 $1.57 \times 7 = \dfrac{\boxed{}}{100} \times 7 = \dfrac{\boxed{} \times 7}{100}$

$= \dfrac{\boxed{}}{100} = \boxed{}$

15 $2.93 \times 5 = \dfrac{\boxed{}}{100} \times 5 = \dfrac{\boxed{} \times 5}{100}$

$= \dfrac{\boxed{}}{100} = \boxed{}$

[16~17] 보기 와 같이 분수의 곱셈으로 계산해 보세요.

보기

$$4.8 \times 3 = \frac{48}{10} \times 3 = \frac{48 \times 3}{10} = \frac{144}{10} = 14.4$$

16 2.3×6

17 6.17×2

[18~20] 계산해 보세요.

18 3.4×4

19 7.2×8

20 4.98×6

4

소수의 곱셈

여보세요!! 수지야, 자꾸 끊겨서 들려!

에잇~ 뭐라고 하는지 전혀 모르겠어.

아무래도 느낌이 좋지 않아.

느낌이 좋지 않다니?

랭리 박사님이라는 사람 대체 어떤 사람일까?

에이~ 설마 무슨 일 있겠어?

수호야, 수지를 찾으러 가자!

엥? 수지가 어디 있는 줄 알고~.

그 시계에 수지의 위치가 나오지 않아?

그러고 보니 위치 정보 같은 게 있네.

앗! 위치를 알려면 2×0.6을 계산해야 할 것 같은데……

내가 계산할게.

$2 \times 0.6 = ?$

분수의 곱셈으로 계산해 보면 $0.6 = \dfrac{6}{10}$이니까 $2 \times 0.6 = 1.2$야.

〈분수의 곱셈으로 계산하기〉

$$2 \times 0.6 = 2 \times \frac{6}{10} = \frac{2 \times 6}{10}$$
$$= \frac{12}{10} = 1.2$$

수지가 꽤 먼 곳에 있나 봐.

에이~ 귀찮게~ 일단 가보자!

아저씨, 저희는 수지 좀 찾으러 갔다 올게요.

수지가 어디 갔나?

설마 길을 잃은 건 아니겠지?

◎ (자연수) × (소수) (1) — (자연수) × (1보다 작은 소수)

• 2 × 0.6의 계산

방법1 분수의 곱셈으로 계산하기

$$2 \times 0.6 = 2 \times \frac{6}{10} = \frac{2 \times 6}{10} = \frac{\boxed{❶}}{10} = 1.2$$

방법2 자연수의 곱셈으로 계산하기

$$2 \times ⑥ = ⑫$$

$\frac{1}{10}$배 $\frac{1}{10}$배

$$2 \times ⓪.6 = \boxed{❷}$$

방법2에서

곱하는 수가 $\frac{1}{10}$배이면

계산 결과가 $\boxed{❸}$ 배예요.

❖ 정답 ❶ 12 ❷ 1.2 ❸ $\frac{1}{10}$

4

소수의 곱셈

[1~2] □ 안에 알맞은 수를 써넣으세요.

1 $3 \times 0.5 = 3 \times \dfrac{\boxed{}}{10} = \dfrac{3 \times \boxed{}}{10} = \dfrac{\boxed{}}{10} = \boxed{}$

2 $8 \times 0.9 = 8 \times \dfrac{\boxed{}}{10} = \dfrac{8 \times \boxed{}}{10} = \dfrac{\boxed{}}{10} = \boxed{}$

3 **보기**와 같이 자연수의 곱셈으로 계산해 보세요.

보기

$$3 \times ㊀ = ㉔⓪$$

$\frac{1}{10}$배 $\frac{1}{10}$배

$$3 \times ⑧ = ㉔$$

$$9 \times 7 = 63$$

$\frac{1}{10}$배 $\frac{1}{10}$배

$$9 \times 0.7 = \boxed{}$$

계산 결과에서 소수점 뒤의 0은 생략하여 나타낼 수 있어요.

$15 \times 0.2 = 3.\cancel{0} \Rightarrow 3$

[4~5] 계산해 보세요.

4 16×0.5

5 23×0.8

랭리 박사 연구소

투리번 투리번

스윽

방금 저 문으로 들어간 거지? 나도 따라가야겠다.

어? 문이 암호로 잠겨 있네.

$5 \times 2.5 =$ □

$5 \times 2.5 = ?$ 이게 암호인가? 이 정도는 쉽지!

$5 \times 2.5 =$ □

분수의 곱셈으로 계산해 보면 $2.5 = \dfrac{25}{10}$ 니까 $5 \times 2.5 = 12.5$ 이군.

〈분수의 곱셈으로 계산하기〉

$$5 \times 2.5 = 5 \times \frac{25}{10} = \frac{5 \times 25}{10}$$

$$= \frac{125}{10} = 12.5$$

여긴 뭐 하는 곳이지?

앗! 저건 비행기 설계도? 그렇다면 랭리 박사님도 비행기를 만드는 과학자?

그럼 라이트 형제를 도와준 이유와 그 노트를 가져간 이유가…….

이대로 있으면 큰일나겠어! 어서 그 비밀노트를 되찾아야 해!

◎ (자연수) × (소수) (2) — (자연수) × (1보다 큰 소수)

• 5 × 2.5의 계산

방법1 분수의 곱셈으로 계산하기

$$5 \times 2.5 = 5 \times \frac{25}{10} = \frac{5 \times 25}{10} = \frac{125}{10} = \boxed{❶}$$

방법2 자연수의 곱셈으로 계산하기

$$5 \times ㉕ = ⑫⑤$$
$$\frac{1}{10}배 \quad \boxed{❷}배$$
$$5 \times ②.⑤ = ⑫.⑤$$

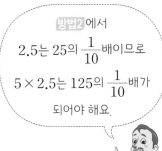

방법2에서
2.5는 25의 $\frac{1}{10}$배이므로
5 × 2.5는 125의 $\frac{1}{10}$배가
되어야 해요.

✿ 정답 ❶ 12.5 ❷ $\frac{1}{10}$

4
소수의 곱셈

---

1 3 × 1.3을 그림으로 계산하려고 합니다. ☐ 안에 알맞은 수를 써넣으세요.

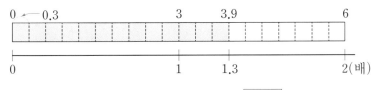

3의 1배는 3이고, 3의 0.3배는 ☐ 입니다.

➡ 3 × 1.3 = ☐

---

2 9 × 2.6을 두 가지 방법으로 계산한 것입니다. ☐ 안에 알맞은 수를 써넣으세요.

방법1 $9 \times 2.6 = 9 \times \dfrac{\boxed{}}{10} = \dfrac{9 \times \boxed{}}{10}$

$$= \frac{\boxed{}}{10} = \boxed{}$$

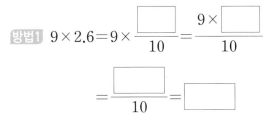

방법2 $9 \times 26 = \boxed{}$

$$\frac{1}{10}배 \quad \frac{1}{10}배$$

$$9 \times 2.6 = \boxed{}$$

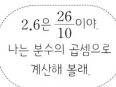

2.6은 $\frac{26}{10}$이야.
나는 분수의 곱셈으로
계산해 볼래.

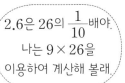

2.6은 26의 $\frac{1}{10}$배야.
나는 9 × 26을
이용하여 계산해 볼래.

[3 ~ 4] 계산해 보세요.

3 43 × 1.5

4 20 × 1.04

(자연수)×(소수) (1)

[01~05] □ 안에 알맞은 수를 써넣으세요.

01 $3 \times 0.9 = 3 \times \dfrac{\boxed{}}{10} = \dfrac{3 \times \boxed{}}{10}$

$ = \dfrac{\boxed{}}{10} = \boxed{}$

02 $19 \times 0.7 = 19 \times \dfrac{\boxed{}}{10} = \dfrac{19 \times \boxed{}}{10}$

$ = \dfrac{\boxed{}}{10} = \boxed{}$

03 $8 \times 0.74 = 8 \times \dfrac{\boxed{}}{100} = \dfrac{8 \times \boxed{}}{100}$

$ = \dfrac{\boxed{}}{100} = \boxed{}$

04 $26 \times 8 = \boxed{}$

$\qquad \swarrow \frac{1}{10}\text{배} \qquad \frac{1}{10}\text{배} \searrow$

$26 \times 0.8 = \boxed{}$

05 $35 \times 13 = \boxed{}$

$\qquad \swarrow \frac{1}{100}\text{배} \qquad \frac{1}{100}\text{배} \searrow$

$35 \times 0.13 = \boxed{}$

[06~07] 보기 와 같이 분수의 곱셈으로 계산해 보세요.

> **보기**
>
> $5 \times 0.7 = 5 \times \dfrac{7}{10} = \dfrac{5 \times 7}{10} = \dfrac{35}{10} = 3.5$

06 17×0.6

07 62×0.07

[08~10] 빈칸에 알맞은 수를 써넣으세요.

08
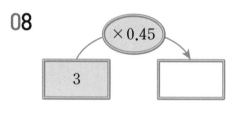

09
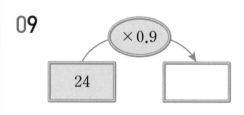

10
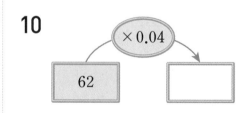

(자연수)×(소수) ⑵

[11~15] □ 안에 알맞은 수를 써넣으세요.

11 $4 \times 1.9 = 4 \times \dfrac{\boxed{}}{10} = \dfrac{4 \times \boxed{}}{10}$

$= \dfrac{\boxed{}}{10} = \boxed{}$

12 $20 \times 1.6 = 20 \times \dfrac{\boxed{}}{10} = \dfrac{20 \times \boxed{}}{10}$

$= \dfrac{\boxed{}}{10} = \boxed{}$

13 $9 \times 2.71 = 9 \times \dfrac{\boxed{}}{100} = \dfrac{9 \times \boxed{}}{100}$

$= \dfrac{\boxed{}}{100} = \boxed{}$

14 $8 \times 17 = \boxed{}$

$\dfrac{1}{10}$배　$\dfrac{1}{10}$배

$8 \times 1.7 = \boxed{}$

15 $24 \times 105 = \boxed{}$

$\dfrac{1}{100}$배　$\dfrac{1}{100}$배

$24 \times 1.05 = \boxed{}$

[16~17] 보기 와 같이 분수의 곱셈으로 계산해 보세요.

보기

$9 \times 1.3 = 9 \times \dfrac{13}{10} = \dfrac{9 \times 13}{10} = \dfrac{117}{10} = 11.7$

16 14×3.8

17 32×1.04

[18~20] 빈칸에 알맞은 수를 써넣으세요.

18

$7 \ \times \ 1.6 \ =$

19

$45 \ \times \ 1.8 \ =$

20

$25 \ \times \ 1.74 \ =$

응? 갑자기 왜 멈춰?

배가 고파서 힘이 없어.

그러니깐 저 솜사탕 하나만 사줘.

그럼 이 문제를 풀면 하나 사줄게.

$0.8 \times 0.9 = ?$

설마 수호가 풀진 않겠지?

이 문제는 소수 곱하기 소수 문제네!!

뭐야~ 설마 아는 거야!

$0.8 \times 0.9 = ?$

$0.8 = \dfrac{8}{10}$ 이고, $0.9 = \dfrac{9}{10}$ 니까 분수의 곱셈으로 계산하면 $0.8 \times 0.9 = 0.72$ 지.

〈분수의 곱셈으로 계산하기〉

$$0.8 \times 0.9 = \frac{8}{10} \times \frac{9}{10}$$
$$= \frac{72}{100} = 0.72$$

힝~ 수호가 정말 계산할 줄이야.

오홍!! 여기 근처다!

저기야!

저기 무슨 연구소처럼 보이지 않아?

들어가서 확인해 보자.

조심해!

◎ (소수)×(소수) (1) ─ (1보다 작은 소수)×(1보다 작은 소수)

• 0.8×0.9의 계산

방법1 분수의 곱셈으로 계산하기

$$0.8 \times 0.9 = \frac{8}{10} \times \frac{9}{10} = \frac{72}{100} = $$ ❶ ☐

방법2 자연수의 곱셈으로 계산하기

$$8 \times 9 = 72$$

$\frac{1}{10}$배　$\frac{1}{10}$배　❷ ☐ 배

$$0.8 \times 0.9 = $$ ❸ ☐

방법2 에서 0.8은 8의 $\frac{1}{10}$배이고,

0.9는 9의 $\frac{1}{10}$배이므로

0.8×0.9는 72의 $\frac{1}{100}$배가

되어야 해요.

◐ 정답　❶ 0.72　❷ $\frac{1}{100}$　❸ 0.72

4

소수의 곱셈

[1~2] ☐ 안에 알맞은 수를 써넣으세요.

1 $0.6 \times 0.7 = \dfrac{\boxed{}}{10} \times \dfrac{\boxed{}}{10} = \dfrac{\boxed{}}{100} = \boxed{}$

2 $0.14 \times 0.4 = \dfrac{\boxed{}}{100} \times \dfrac{\boxed{}}{10} = \dfrac{\boxed{}}{1000} = \boxed{}$

3 보기 와 같이 계산해 보세요.

보기

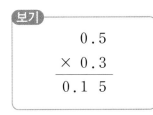
```
    0. 5
 ×  0. 3
────────
  0. 1 5
```

```
    0. 9
 ×  0. 6
────────
  ☐
```

자연수처럼 생각하고
계산한 다음 소수의
크기를 생각하여
소수점을 찍어요.

[4~5] 계산해 보세요.

4 0.7×0.4

5 0.05×0.6

비밀노트는 어디에 뒀을까?

여기도 아니고~

여기도 아냐.

아무 곳에 둘리는 없는데……

이건

1.5×1.2 =

이 금고 안에 숨겨둔 게 틀림없어.

역시 암호도 걸려 있어.
1.5×1.2=?

1.5×1.2 =

$1.5 = \dfrac{15}{10}$ 이고, $1.2 = \dfrac{12}{10}$ 니까 분수의 곱셈으로 계산하면 $1.5 \times 1.2 = 1.8$ 이군.

〈분수의 곱셈으로 계산하기〉

$$1.5 \times 1.2 = \frac{15}{10} \times \frac{12}{10}$$
$$= \frac{180}{100} = 1.8$$

열렸다!

덜컹

1.5×1.2 = 1.8

앗! 아무것도 없잖아!

그럼 대체 어디 있는 거야?

앗! 바람? 이 방 어딘가에 비밀 통로가 있나보다.

개념 클릭

◎ (소수)×(소수) (2) − (1보다 큰 소수)×(1보다 큰 소수)

• 1.5×1.2의 계산

방법1 분수의 곱셈으로 계산하기

$$1.5 \times 1.2 = \frac{15}{10} \times \frac{12}{10} = \frac{❶}{100} = 1.8$$

방법2 자연수의 곱셈으로 계산하기

$$15 \times 12 = 180$$

$\frac{1}{10}$배 $\frac{1}{10}$배 $\frac{1}{100}$배

$$1.5 \times 1.2 = ❷$$

방법2에서 1.5는 15의 $\frac{1}{10}$배이고, 1.2는 12의 $\frac{1}{10}$배이므로 1.5×1.2는 180의 $\frac{1}{100}$배가 되어야 해요.

✪ 정답 ❶ 180 ❷ 1.8

4
소수의 곱셈

---

1 2.6×1.7을 두 가지 방법으로 계산한 것입니다. ☐ 안에 알맞은 수를 써넣으세요.

방법1 $2.6 \times 1.7 = \dfrac{\boxed{}}{10} \times \dfrac{\boxed{}}{10} = \dfrac{\boxed{}}{100} = \boxed{}$

방법2 $26 \times 17 = \boxed{}$

$\frac{1}{10}$배 $\frac{1}{10}$배 $\frac{1}{100}$배

$$2.6 \times 1.7 = \boxed{}$$

[2~3] 곱하는 두 수의 크기를 생각하여 결과 값에 소수점을 찍어 보세요.

2 1.4×1.1=1 5 4

3 1.07×2.8=2 9 9 6

1.4와 1.1의 크기를 생각하여 14와 11을 곱한 값에 소수점을 찍어 줘야 해요.

[4~5] 계산해 보세요.

4 6.7×1.1

5 1.24×3.2

교과서 개념 곱의 소수점 위치는 어떻게 달라지나요?

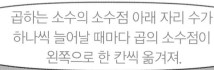

◎ 곱의 소수점 위치

• (소수) × 10, 100, 1000의 값의 규칙

$3.27 \times 10 = 32.7$

$3.27 \times 100 = 327$

$3.27 \times 1000 = $ ❶ ☐

곱하는 수의 0이 하나씩 늘어날 때마다 곱의 소수점이 오른쪽으로 한 칸씩 옮겨집니다.

• (자연수) × 0.1, 0.01, 0.001의 값의 규칙

$3270 \times 0.1 = 327$

$3270 \times 0.01 = $ ❷ ☐

$3270 \times 0.001 = 3.27$

곱하는 소수의 소수점 아래 자리 수가 하나씩 늘어날 때마다 곱의 소수점이 왼쪽으로 한 칸씩 옮겨집니다.

곱하는 수에 따라 곱의 소수점 위치가 달라져요.

◎ 정답 ❶ 3270 ❷ 32.7

4

소수의 곱셈

1 ☐ 안에 알맞은 수를 써넣으세요.

(1) $0.24 \times 10 = \dfrac{☐}{100} \times 10 = \dfrac{☐ \times 10}{100} = \dfrac{☐}{100} = ☐$

(2) $0.24 \times 100 = \dfrac{☐}{100} \times 100 = \dfrac{☐ \times 100}{100} = \dfrac{☐}{100} = ☐$

(3) $0.24 \times 1000 = \dfrac{☐}{100} \times 1000 = \dfrac{☐ \times 1000}{100} = \dfrac{☐}{100} = ☐$

2 ☐ 안에 알맞은 수를 써넣으세요.

(1) $8 \times 7 = \dfrac{8}{1} \times \dfrac{7}{1} = \dfrac{☐}{1} = ☐$

(2) $0.8 \times 0.7 = \dfrac{☐}{10} \times \dfrac{☐}{10} = \dfrac{☐}{100} = ☐$

(3) $0.8 \times 0.07 = \dfrac{☐}{10} \times \dfrac{☐}{100} = \dfrac{☐}{1000} = ☐$

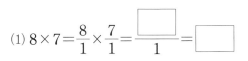

곱하는 두 수의 소수점 아래 자리 수를 더한 값만큼 곱의 소수점 아래 자리 수가 정해져요.

$0.2 \times 0.4 = 0.08$

소수 한 자리 수   소수 한 자리 수   소수 두 자리 수

[3~4] 계산해 보세요.

3 3.94×10

 3.94×100

 3.94×1000

4 540×0.1

 540×0.01

 540×0.001

(소수)×(소수) (1)

[01~05] □ 안에 알맞은 수를 써넣으세요.

01 $0.6 \times 0.4 = \dfrac{\square}{10} \times \dfrac{\square}{10}$

$= \dfrac{\square}{100} = \square$

02 $0.46 \times 0.9 = \dfrac{\square}{100} \times \dfrac{\square}{10}$

$= \dfrac{\square}{1000} = \square$

03 $0.4 \times 0.25 = \dfrac{\square}{10} \times \dfrac{\square}{100}$

$= \dfrac{\square}{1000} = \square$

04 $8 \times 3 = \square$

$\dfrac{1}{10}$배 $\dfrac{1}{10}$배 $\dfrac{1}{100}$배

$0.8 \times 0.3 = \square$

05 $24 \times 16 = \square$

$\dfrac{1}{100}$배 $\dfrac{1}{100}$배 $\dfrac{1}{10000}$배

$0.24 \times 0.16 = \square$

[06~08] 계산해 보세요.

06
$$\begin{array}{r} 0.8 \\ \times\, 0.6 \\ \hline \end{array}$$

07 0.41×0.5

08 0.9×0.64

(소수)×(소수) (2)

[09~10] □ 안에 알맞은 수를 써넣으세요.

09 $25 \times 45 = \square$

$\dfrac{1}{10}$배 $\dfrac{1}{10}$배 $\dfrac{1}{100}$배

$2.5 \times 4.5 = \square$

10 $112 \times 54 = \square$

$\dfrac{1}{100}$배 $\dfrac{1}{10}$배 $\dfrac{1}{1000}$배

$1.12 \times 5.4 = \square$

[11~12] 보기 와 같이 분수의 곱셈으로 계산해 보세요.

보기

$$1.7 \times 1.3 = \frac{17}{10} \times \frac{13}{10} = \frac{221}{100} = 2.21$$

11 6.2×1.8

12 2.63×2.5

[13~15] 계산해 보세요.

13 2.7×1.4

14 1.24×3.3

15 11.8×1.2

곱의 소수점 위치

[16~17] 계산해 보세요.

16 3.125×10

3.125×100

3.125×1000

17 504×0.1

504×0.01

504×0.001

[18~20] 보기 를 이용하여 계산해 보세요.

18 보기

$$5.3 \times 27 = 143.1$$

5.3×270

0.53×27

19 보기

$$15 \times 34 = 510$$

1.5×3.4

0.15×3.4

20 보기

$$125 \times 21 = 2625$$

12.5×2.1

1.25×0.21

4

소수의 곱셈

01 소수와 자연수의 곱셈을 여러 가지 방법으로 계산한 것입니다. □ 안에 알맞은 수를 써넣으세요.

$$0.7 \times 4$$

덧셈식으로 계산하기

$$0.7 \times 4 = 0.7 + 0.7 + 0.7 + \boxed{} = \boxed{}$$

분수의 곱셈으로 계산하기

$$0.7 \times 4 = \frac{\boxed{}}{10} \times 4 = \frac{\boxed{} \times 4}{10} = \frac{\boxed{}}{10} = \boxed{}$$

0.1의 개수로 계산하기

0.7은 0.1이 $\boxed{}$개입니다.

0.7×4는 0.1이 $\boxed{}$개씩 4묶음입니다.

0.1이 모두 $\boxed{}$개이므로 $0.7 \times 4 = \boxed{}$입니다.

Tip

0.7×4는 덧셈식, 분수의 곱셈, 0.1의 개수 등을 이용하여 계산할 수 있어요.

02 어림하여 계산 결과가 8보다 작은 것을 찾아 기호를 쓰세요.

| ㉠ 4.6×2 | ㉡ 1.9×3 | ㉢ 1.1×8 |

(   )

· 소수에서 자연수 부분과 곱하는 수의 곱으로 계산 결과를 어림해 봅니다.

03 계산해 보세요.

(1) 0.9×3

(2) 0.23×7

04 서로 다른 방법으로 계산하려고 합니다. □ 안에 알맞은 수를 써넣으세요.

(1)

5×0.7

분수의 곱셈으로 계산하기

$$5 \times 0.7 = 5 \times \dfrac{\boxed{}}{10} = \dfrac{5 \times \boxed{}}{10} = \dfrac{\boxed{}}{10} = \boxed{}$$

(2)

2×0.64

자연수의 곱셈으로 계산하기

$$2 \times 64 = \boxed{}$$

$\dfrac{1}{100}$배　　$\dfrac{1}{100}$배

$$2 \times 0.64 = \boxed{}$$

4

소수의 곱셈

Tip

• (1) 소수 한 자리 수는 분모가 10인 분수로 나타내어 계산합니다.

(2) 곱하는 수가 $\dfrac{1}{100}$배이면 계산 결과도 $\dfrac{1}{100}$배임을 이용하여 계산합니다.

05 계산해 보세요.

(1) 24×1.8

(2) 30×7.05

06 0.83×0.48의 값이 얼마인지 어림해서 기호를 쓰세요.

| ㉠ 39.84 | ㉡ 3.984 | ㉢ 0.3984 |

(　　　　　　　)

0.83×0.48을 0.83의 0.5로 어림하여 답을 구해 보세요.

07 어림하여 계산 결과가 7보다 작은 것을 찾아 기호를 쓰세요.

> ㉠ 12.1의 0.6   ㉡ 3.5의 2.5배   ㉢ 4.9 × 1.2

(   )

Tip

■의 ●배는
■ × ●예요.

08 계산 결과가 <u>다른</u> 것을 찾아 기호를 쓰세요.

> ㉠ 49의 0.1   ㉡ 490의 0.001배   ㉢ 0.49 × 10

(   )

09 보기 와 다른 방법으로 계산해 보세요.

보기

1.7 × 5.2

분수의 곱셈으로 계산하기

$$1.7 \times 5.2 = \frac{17}{10} \times \frac{52}{10} = \frac{884}{100} = 8.84$$

2.41 × 1.2

· 자연수의 곱셈으로 계산할 수 있습니다.

10 가장 큰 수와 가장 작은 수의 곱을 구하세요.

| 8.6 | 12.5 | 1.9 | 10.95 |

(   )

Tip

먼저 소수의 크기 비교를 하여 가장 큰 수와 가장 작은 수를 찾아봐요.

4

소수의 곱셈

11 다음 식을 두 가지 방법으로 계산하고, 이를 바탕으로 자연수의 곱셈 결과에서 소수점을 왼쪽으로 세 칸만큼 옮기는 이유를 쓰세요.

$$0.9 \times 0.14$$

자연수의 곱셈으로 계산하기	분수의 곱셈으로 계산하기
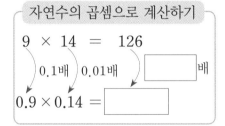	

이유 0.9는 9의 0.1배이고, 0.14는 14의 [   ]배이므로

0.9 × 0.14의 값은 9 × 14의 값인 126의 [   ]배여야

하므로 126에서 소수점을 왼쪽으로 세 칸 옮기면 [   ]

입니다.

12 **보기** 를 이용하여 식을 완성해 보세요.

보기

$$318 \times 21 = 6678$$

(1) $3.18 \times$ [   ] $= 0.6678$

(2) [   ] $\times 2100 = 667.8$

• 곱하는 두 수의 소수점 아래 자리 수를 더한 값만큼 곱의 소수점 아래 자리 수가 정해집니다.

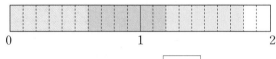

01 그림을 보고 □ 안에 알맞은 수를 써넣으세요.

0   1   2

덧셈식: $0.6+0.6+0.6=$ ☐

곱셈식: $0.6×$ ☐ $=$ ☐

[02~03] □ 안에 알맞은 수를 써넣으세요.

02 $0.7×8=\dfrac{\boxed{}}{10}×8=\dfrac{\boxed{}×8}{10}$

$=\dfrac{\boxed{}}{10}=\boxed{}$

03 $35×0.8=35×\dfrac{\boxed{}}{10}=\dfrac{35×\boxed{}}{10}$

$=\dfrac{\boxed{}}{10}=\boxed{}$

04 자연수의 곱셈으로 계산하려고 합니다. □ 안에 알맞은 수를 써넣으세요.

$32 × 16 =$ ☐

$\dfrac{1}{10}$배 $\qquad \dfrac{1}{\boxed{}}$배

$32 × 1.6 =$ ☐

[05~06] 계산해 보세요.

05 $1.7×3$

06 $19×0.35$

07 빈칸에 알맞은 수를 써넣으세요.

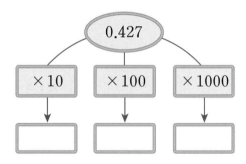

0.427

| ×10 | ×100 | ×1000 |

☐ ☐ ☐

08 $54×36=1944$를 이용하여 계산해 보세요.

$5.4×0.36$

09 보기 와 같이 분수의 곱셈으로 계산해 보세요.

보기

$$0.3 \times 0.8 = \frac{3}{10} \times \frac{8}{10} = \frac{24}{100} = 0.24$$

0.9×0.4

10 계산 결과가 같은 것끼리 이어 보세요.

2.9 × 1.4 •

0.29 × 1.4 •

• 29 × 0.014

• 29 × 0.14

• 290 × 1.4

11 어림하여 계산 결과가 10보다 작은 것을 찾아 ○표 하세요.

| 5.2 × 2 | 3.9 × 2 | 4.1 × 3 |

(   ) (   ) (   )

12 빈칸에 알맞은 수를 써넣으세요.

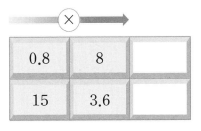

| 0.8 | 8 | |
| 15 | 3.6 | |

13 계산 결과를 비교하여 ○ 안에 >, =, <를 알맞게 써넣으세요.

$$7.1 \times 2.3 \bigcirc 16.4$$

14 보기 를 이용하여 □ 안에 알맞은 수를 써넣으세요.

보기

$$273 \times 36 = 9828$$

$$27.3 \times \boxed{} = 98.28$$

4

소수의 곱셈

15 빈칸에 알맞은 수를 써넣으세요.

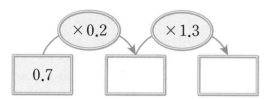

16 학교에서 수정이네 집까지의 거리는 3 km이고, 학교에서 도서관까지의 거리는 학교에서 수정이네 집까지의 거리의 0.8배입니다. 학교에서 도서관까지의 거리는 몇 km일까요?

( )

17 가장 큰 수와 가장 작은 수의 곱을 구하세요.

| 0.5 | 0.49 | 0.8 | 0.72 |

( )

18 ☐ 안에 알맞은 수 중 가장 큰 것의 기호를 쓰세요.

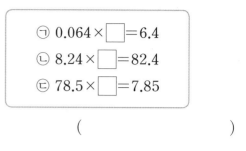

( )

19 평행사변형의 넓이는 몇 cm²일까요?

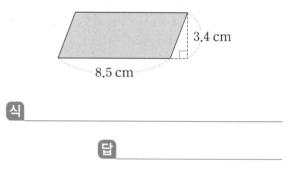

식 _____

답 _____

20 한 시간에 82.3 km씩 가는 자동차가 있습니다. 같은 빠르기로 6시간 동안 달린다면 이 자동차가 달린 거리는 몇 km일까요?

( )

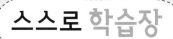

스스로 학습장은 이 단원에서 배운 것을 확인하는 코너입니다.
몰랐던 것은 꼭 다시 공부해서 내 것으로 만들어 보아요.

• 스피드 정답표 9쪽, 정답 38쪽

※ 승준이가 본 쪽지 시험입니다. 맞은 문제는 ○표, **틀린** 문제는 /표 하고 바르게 고쳐 보세요.

쪽지 시험	이름	한승준
소수의 곱셈		

※ 계산해 보세요.

① $0.9 \times 6 = 5.4$

2̸ $0.45 \times 0.7 = 3.15$ 0.315

3 $2.7 \times 1.6 = 4.32$

4 $5.63 \times 4 = 22.52$

5 $1.25 \times 3.3 = 41.25$

6 $5.4 \times 1.7 = 9.18$

7 $9 \times 1.05 = 0.945$

8 $3.52 \times 1.3 = 4.576$

4

소수의 곱셈

5 직육면체

QR 코드를 찍으면
5단원 개념 동영상
강의를 볼 수 있어요

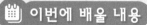

이번에 배울 내용

- 직육면체와 정육면체 알아 보기
- 직육면체의 성질 알아보기
- 직육면체의 겨냥도 알아보기
- 정육면체와 직육면체의 전개도 알아보기

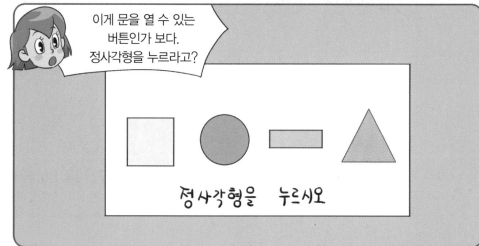

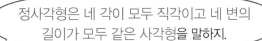
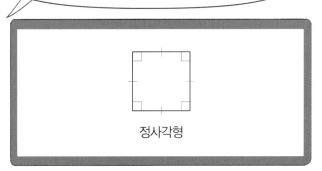

준비 학습

[1~2] 도형을 보고 물음에 답하세요.

가 나 다 라 마

1 직사각형을 모두 찾아 기호를 쓰세요.

( )

개념 체크 **1** ◀ 3학년 1학기 2단원

직사각형 알아보기

직사각형: 네 각이 모두 직각인 사각형

2 정사각형을 모두 찾아 기호를 쓰세요.

( )

개념 체크 **2** ◀ 3학년 1학기 2단원

정사각형 알아보기

정사각형: 네 각이 모두 직각이고 네 변의 길이가 모두 같은 사각형

3 직선 ㄱㄴ에 수직인 직선을 모두 찾아 쓰세요.

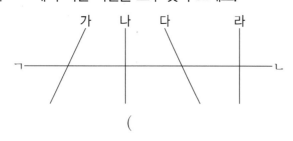

가 나 다 라

( )

개념 체크 **3** ◀ 4학년 2학기 4단원

수직 알아보기

두 직선이 만나서 이루는 각이 직각일 때, 두 직선은 서로 수직이라고 합니다.

4 도형에서 변 ㄱㄴ과 평행한 변을 모두 찾아 쓰세요.

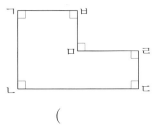

(　　　　　　　　　　　)

평행 알아보기

한 직선에 수직인 두 직선을 그었을 때, 그 두 직선은 서로 만나지 않습니다.
이와 같이 서로 만나지 않는 두 직선을 평행하다고 합니다.

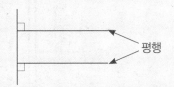

5 주어진 직선에 수직인 직선을 그어 보세요.

(1)　　　　　　　　　　(2)

수선 긋기

• 삼각자를 사용하여 주어진 직선에 대한 수선 긋기

• 각도기를 사용하여 주어진 직선에 대한 수선 긋기

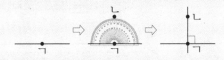

6 정사각형에 대한 설명으로 잘못된 것을 찾아 기호를 쓰세요.

> ㉠ 네 변의 길이가 모두 같습니다.
> ㉡ 네 각의 크기가 모두 같습니다.
> ㉢ 마주 보는 두 쌍의 변은 서로 평행합니다.
> ㉣ 직사각형이라고 할 수 없습니다.

(　　　　　　　　　　　)

직사각형과 정사각형의 성질

직사각형	정사각형
네 각이 직각입니다.	
마주 보는 두 쌍의 변이 서로 평행합니다.	
마주 보는 두 변의 길이가 같습니다.	네 변의 길이가 같습니다.

공통된 성질

5

직육면체

정말 신난다.

쿡쿡~

그나저나 이 노트를 잠깐 숨겨두어야 할 것 같은데 어디다 숨겨둘까?

음…

그래, 저기에 숨겨두면 아무도 모를 거야.

영차~

이 직육면체 상자에 넣어 둬야지.

직육면체는 직사각형 6개로 둘러싸인 도형을 말하지.

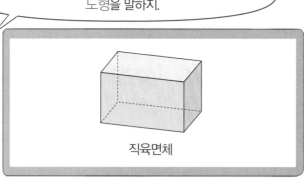

직육면체

훗~ 감쪽같네!!

이렇게 수많은 직육면체 상자에 섞어서 넣어 두면 그 누구도 못 찾을 거야.

휴우~ 이제 긴장이 풀리니 배고프네! 밥 좀 먹고 와야겠다.

다 다 다

도대체 뭘 숨긴 거지?

나도 그게 궁금해~

◎ **직육면체 알아보기**

• 직육면체: 아래 그림과 같이 직사각형 6개로 둘러싸인 도형

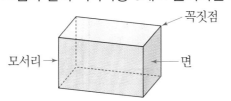

꼭짓점

모서리 →   ← 면

• 면: 선분으로 둘러싸인 부분
• 모서리: 면과 면이 만나는 선분
• 꼭짓점: 모서리와 모서리가 만나는 점

직육면체는 직사각형 ❶ 개로 둘러싸인 도형이에요.

◯ 정답 ❶ 6

1 오른쪽 상자 모양을 보고 물음에 답하세요.

(1) 상자에 오른쪽과 같이 색칠하였습니다. 색칠한 도형은 어떤 도형인지 ◯표 하세요.

(삼각형, 직사각형, 원, 오각형)

(2) ☐ 안에 알맞은 말을 써넣으세요.

위의 상자와 같이 직사각형 6개로 둘러싸인 도형을 [   ](이)라고 합니다.

5

직육면체

2 직육면체를 보고 ☐ 안에 알맞은 말을 써넣으세요.

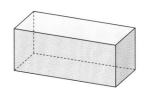

직육면체에서 선분으로 둘러싸인 부분을 [ ], 면과 면이 만나는 선분을

[   ], 모서리와 모서리가 만나는 점을 [   ](이)라고 합니다.

3 직육면체의 각 부분의 이름을 ☐ 안에 알맞게 써넣으세요.

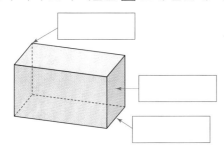

아저씨, 모서리를 찾아보세요.

모서리는 면과 면이 만나는 선분 이니까……

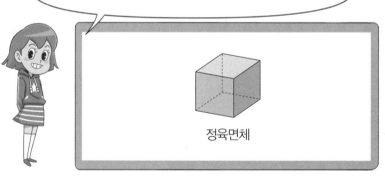

◎ **정육면체 알아보기**

• 정육면체: 정사각형 6개로 둘러싸인 도형

└─→ 네 각이 모두 직각이고 네 **❶** 의 길이가 모두 같은 사각형

정사각형은 직사각형이라고
할 수 있으므로 정육면체는
직육면체라고 할 수 있어요.

정육면체의
모든 면은
정사각형이에요.

◯ 정답 ❶ 변

---

1 오른쪽 그림과 같이 정사각형 6개로 둘러싸인 도형을 무엇이라고 할까요?

(   )

2 정육면체를 찾아 ◯표 하세요.

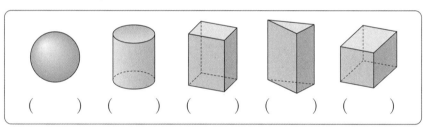

(   ) (   ) (   ) (   ) (   )

3 직육면체와 정육면체의 관계를 알아보려고 합니다. 알맞은 말에 ◯표 하세요.

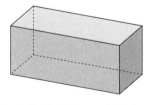 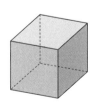

(1) 직육면체와 정육면체의 모서리의 개수는 (같습니다, 다릅니다).

(2) 직육면체의 면의 모양은 (직사각형, 정사각형)이고, 정육면체의 면의
모양은 정사각형입니다.

(3) 정사각형은 직사각형이라고 할 수 있으므로 정육면체는 직육면체라고
할 수 (있습니다, 없습니다).

정사각형은
직사각형이라고
할 수 있어.

그렇다면
정육면체도
직육면체?

직육면체 알아보기

[01~03] 직육면체를 찾아 ◯표 하세요.

01

(   )   (   )

02
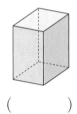 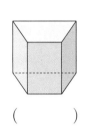
(   )   (   )

03
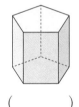 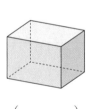
(   )   (   )

04 직육면체의 각 부분의 이름을 □ 안에 알맞게 써넣으세요.

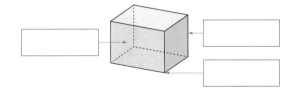

[05~07] 직육면체를 보고 물음에 답하세요.

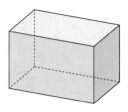

05 직육면체의 면은 모두 몇 개일까요?

(   )

06 직육면체의 모서리는 모두 몇 개일까요?

(   )

07 직육면체의 꼭짓점은 모두 몇 개일까요?

(   )

[08~10] 직육면체를 바르게 설명한 것에 ◯표, 그렇지 않은 것에 ×표 하세요.

08 직사각형 6개로 둘러싸여 있습니다.

(   )

09 면과 면이 만나는 선분은 꼭짓점입니다.

(   )

10 면의 크기가 모두 같습니다.

(   )

정육면체 알아보기

[11~13] 정육면체를 찾아 ◯표 하세요.

11
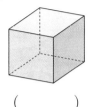 

(   )   (   )

12

(   )   (   )

13

(   )   (   )

14 정육면체에서 보이는 면, 보이는 모서리, 보이는 꼭짓점의 수를 각각 구하세요.

보이는 면 (   )
보이는 모서리 (   )
보이는 꼭짓점 (   )

15 정육면체를 보고 면, 모서리, 꼭짓점의 수를 각각 세어 보세요.

면의 수(개)	모서리의 수(개)	꼭짓점의 수(개)
6		

[16~20] 정육면체를 바르게 설명한 것에 ◯표, 그렇지 않은 것에 ×표 하세요.

16 정사각형 6개로 둘러싸여 있습니다.

(   )

17 면의 크기가 모두 같습니다.

(   )

18 모서리가 모두 8개입니다.

(   )

19 모서리의 길이가 모두 같습니다.

(   )

20 직육면체와 정육면체는 면, 모서리, 꼭짓점의 수가 서로 다릅니다.

(   )

이것도 아니고~.

이것도 아니야.

언제 이 많은 상자들을 열어보지?

지니, 한번에 찾을 수 있는 마법같은 건 없어?

난 마법사가 아니야! 소원을 들어주는 요정이지.

난 또……. 엄청난 능력자인 줄 알았네.

철컹

철컹

앗! 랭리 박사님이 돌아왔나 봐!

일단 숨자!

어… 어디에?

이중 가장 큰 직육면체 상자 안에 숨자!

오~ 좋은 생각이야.

각자 알맞은 크기의 직육면체 상자 밑면을 열고 들어가!

밑면이 뭐야?

직육면체에서 색칠한 두 면처럼 계속 늘여도 만나지 않는 면을 서로 평행하다고 하고 이 두 면을 직육면체의 밑면이라고 해.

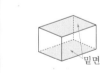

밑면

밑면

밑면

직육면체에는 평행한 면이 3쌍 있고
이 평행한 면은 각각 밑면이 될 수 있습니다.

자, 이제 밑면을 열고 들어가자.

잠깐!

왜! 지금 시간이 없어. 얼른 숨어야 해.

저건 뭐지?

뭐?

◎ **직육면체의 성질**

• **직육면체의 밑면:** 직육면체에서 색칠한 두 면처럼 계속 늘여도

　　　만나지 않는 두 면

　　　→ 서로 평행한 두 면

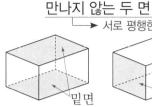 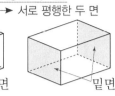 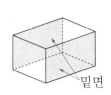

밑면　　　밑면　　　밑면

직육면체에는 평행한 면이
❶ ⬜ 쌍 있고 이 평행한 면은
각각 밑면이 될 수 있어요.

• **직육면체의 옆면:** 직육면체에서 밑면과 수직인 면

밑면

옆면

⚫ 정답 ❶ 3

[1~2] 직육면체를 보고 알맞은 말에 ◯표 하세요.

1

직육면체에서 색칠한 두 면처럼 서로 마주 보는 면은 (평행 , 수직)합니다.

2

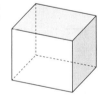

직육면체에서 색칠한 두 면처럼 서로 만나는 면은 (평행 , 수직)입니다.

3 오른쪽 직육면체를 보고 물음에 답하세요.

(1) 면 ㄱㄴㄷㄹ과 평행한 면을 찾아 쓰세요.

　　　　　　　　(　　　　　　　)

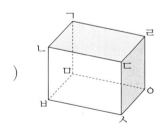

직육면체에서
서로 마주 보는 면은
평행해요.

(2) 직육면체에서 면 ㄱㄴㄷㄹ과 면 ㄷㅅㅇㄹ이 만나 이루는 각의 크기는 몇 도일까요?

　　　　　　　　　　(　　　　　　　)

(3) 면 ㄱㄴㄷㄹ과 수직인 면을 모두 찾아 쓰세요.

면 ㄱㅁㅂㄴ, 면 ㄴㅂㅅㄷ, 면 ⬚⬚⬚⬚⬚ , 면 ⬚⬚⬚⬚⬚

1단계

교과서 개념

직육면체의 겨냥도를 알 수 있나요?

◎ **직육면체의 겨냥도**

· 직육면체의 겨냥도: 직육면체 모양을 잘 알 수 있도록 나타낸 그림

 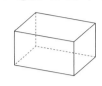

겨냥도에서는 보이는 모서리는 실선으로, 보이지 않는 모서리는 ❷[   ]으로 그려요.

면의 수(개)		모서리의 수(개)		꼭짓점의 수(개)	
보이는 면	보이지 않는 면	보이는 모서리	보이지 않는 모서리	보이는 꼭짓점	보이지 않는 꼭짓점
3	3	9	3	7	❶[ ]

◯ 정답 ❶ 1 ❷ 점선

---

1 오른쪽 그림을 보고 ☐ 안에 알맞은 수나 말을 써넣으세요.

(1) 오른쪽 그림과 같이 직육면체 모양을 잘 알 수 있도록 나타낸 그림을 직육면체의 [   ]라고 합니다.

(2) 직육면체에서 보이는 면은 [ ]개, 보이지 않는 면은 [ ]개입니다.

(3) 직육면체에서 보이는 모서리는 [ ]개, 보이지 않는 모서리는 [ ]개입니다.

5

직육면체

---

2 직육면체의 겨냥도를 바르게 그린 것을 찾아 ◯표 하세요.

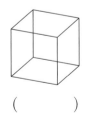 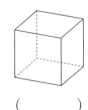 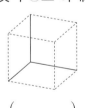

(   )   (   )   (   )

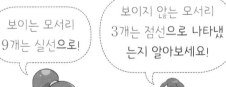

보이는 모서리 9개는 실선으로!

보이지 않는 모서리 3개는 점선으로 나타냈는지 알아보세요!

[3~4] 그림에서 빠진 부분을 그려 넣어 직육면체의 겨냥도를 완성해 보세요.

3

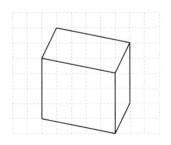

4

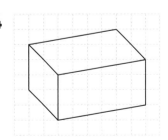

직육면체의 성질

[01~03] 직육면체에서 색칠한 면과 평행한 면을 찾아 빗금으로 나타내어 보세요.

01

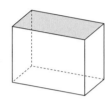

02

03

[04~05] 직육면체에서 색칠한 면과 평행한 면을 찾아 쓰세요.

04

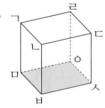

(   )

05

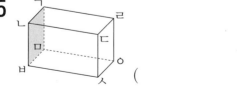

(   )

[06~07] 보기의 직육면체에서 색칠한 면과 수직인 면을 색칠한 것이 <u>아닌</u> 것을 찾아 ◯표 하세요.

06

(   ) (   ) (   )

07

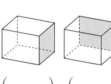

(   ) (   ) (   )

[08~09] 직육면체에서 색칠한 면과 수직인 면을 모두 찾아 쓰세요.

08

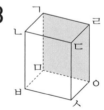

(   )
(   )
(   )
(   )

09

(   )
(   )
(   )
(   )

직육면체의 겨냥도

[10~14] 직육면체의 겨냥도를 바르게 그린 것에 ◯표, 그렇지 <u>않은</u> 것에 ✕표 하세요.

10

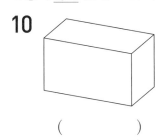

( )

11

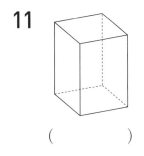

( )

12

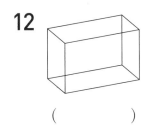

( )

13

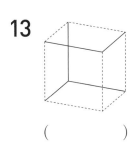

( )

14

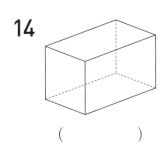

( )

[15~17] 그림과 같은 직육면체의 겨냥도를 바르게 설명한 것에 ◯표, 그렇지 <u>않은</u> 것에 ✕표 하세요.

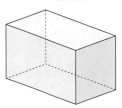

15 보이는 면은 3개입니다.

( )

16 보이는 꼭짓점은 8개입니다.

( )

17 보이지 않는 모서리는 9개입니다.

( )

[18~20] 그림에서 빠진 부분을 그려 넣어 직육면체의 겨냥도를 완성해 보세요.

18

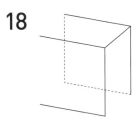

19

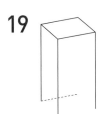

20

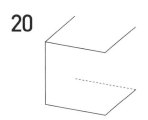

5

직육면체

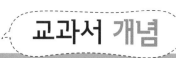

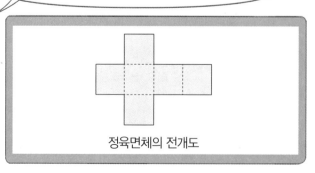

정육면체의 전개도

개념 클릭

• 스피드 정답표 10쪽, 정답 41쪽 월 일

◎ **정육면체의 전개도**

• 정육면체의 전개도: 정육면체의 모서리를 잘라서 펼친 그림

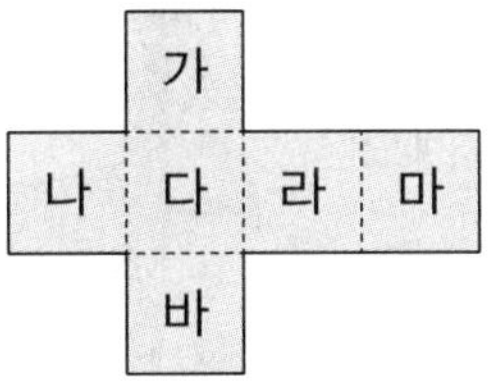
가
나
다
라
마
바

정육면체의 전개도를 접었을 때

면 가와 평행한 면 ⇨ 면 바

면 가와 수직인 면

⇨ 면 나, 면 다, 면 ❶☐, 면 마

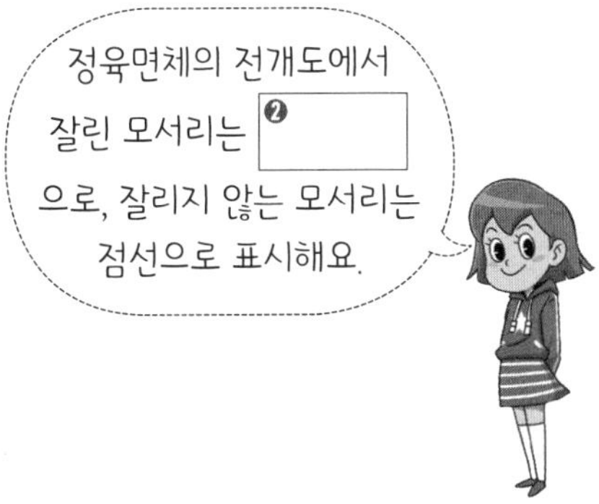
정육면체의 전개도에서
잘린 모서리는 ❷☐
으로, 잘리지 않는 모서리는
점선으로 표시해요.

○ 정답 ❶ 라 ❷ 실선

1 그림을 보고 ☐ 안에 알맞은 말을 써넣으세요.

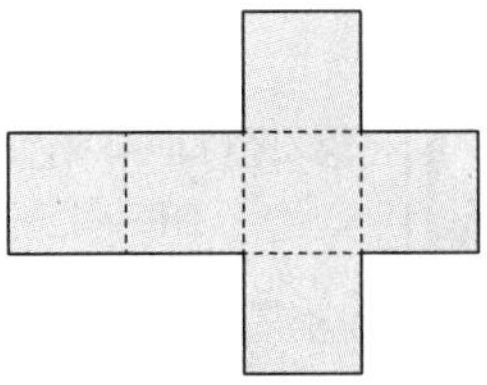

정육면체의 모서리를 잘라서 펼친 그림을

정육면체의 ☐(이)라고 합니다.

2 전개도를 접어서 정육면체를 만들었습니다. 물음에 답하세요.

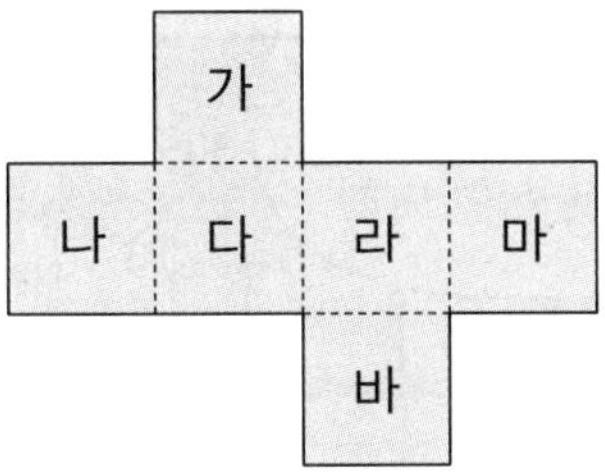
가
나
다
라
마
바

(1) 면 나와 평행한 면을 찾아 쓰세요.

( )

(2) 면 바와 수직인 면을 모두 찾아 쓰세요.

면 나, 면 ☐, 면 ☐, 면 마

3 정육면체의 전개도에서 빠진 부분을 그려 넣으세요.

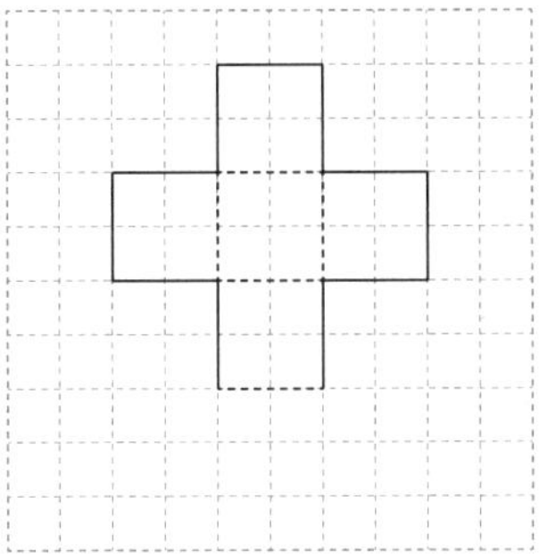

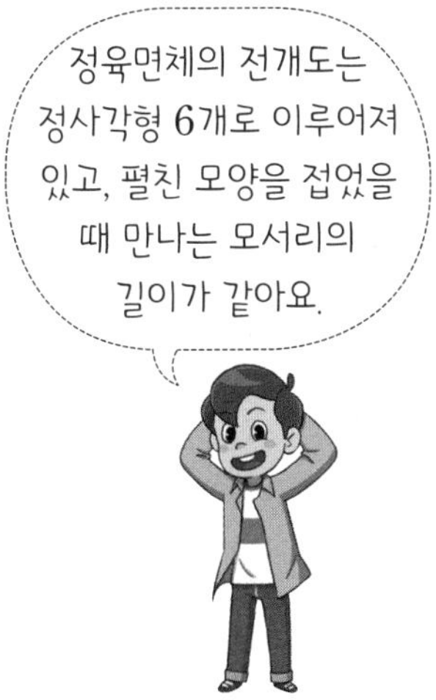
정육면체의 전개도는
정사각형 6개로 이루어져
있고, 펼친 모양을 접었을
때 만나는 모서리의
길이가 같아요.

5 직육면체

오빠!!

팟

오빠, 괜찮아?

아니, 냄새 때문에 죽을 것 같아.

이게 무슨 냄새야? 도대체 무슨 짓을 한 거예요!!

내가 한 게 아닌데…….

큼!

그게 중요한 게 아니지! 지금 너희가 왜 내 연구소에 있는 거지?

그야 박사님이 비밀노트를 몰래 가져 갔기 때문이죠.

무슨 소리인지 모르겠네!

일단 너희 때문에 망가진 내 직육면체 상자들은 어떡할 거니?

다… 다시 만들면 되잖아요!

다시?

너희 만드는 방법은 알고?

그… 그게…….

직육면체의 전개도를 그려서 만들면 되죠!

오호~

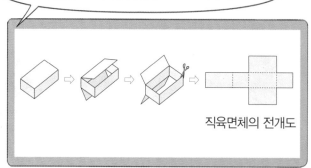

직육면체의 전개도는 잘린 모서리는 실선으로, 잘리지 않는 모서리는 점선으로 표시해서 그려요.

직육면체의 전개도

그럼 우선 너희 때문에 망가진 내 직육면체부터 원래대로 돌려놔!!

저걸 언제 다 만드냐?

헉~

◎ **직육면체의 전개도**

• 직육면체 모양의 상자를 펼치면 어떤 모양이 되는지 알아보기

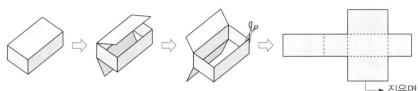

→ 직육면체의 전개도

바르게 그린 직육면체의 전개도에는 모양과 크기가 같은 면이 2개씩 ❷☐ 쌍 있어요.

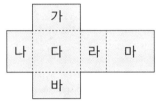

직육면체의 전개도를 접었을 때

ㄷ 면 다와 평행한 면 ⇨ 면 ❶☐

ㄷ 면 나와 수직인 면 ⇨ 면 가, 면 다, 면 바, 면 마

◐ 정답 ❶ 마 ❷ 3

1 직육면체의 전개도로 알맞은 것을 찾아 ○표 하세요.

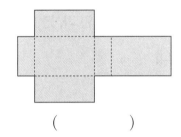

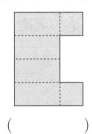

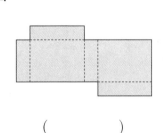

(   )   (   )   (   )

접었을 때 겹치는 면이 없고 만나는 모서리의 길이가 같아야 해요.

5

직육면체

2 전개도를 접어서 직육면체를 만들었습니다. 물음에 답하세요.

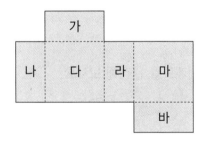

(1) 다음 면과 평행한 면을 각각 찾아 기호를 써넣으세요.

면	가	나	다
평행한 면			

(2) 면 다와 수직인 면을 모두 찾아 쓰세요.

면 가, 면 나, 면 ☐ , 면 ☐

3 직육면체를 보고 전개도를 완성해 보세요.

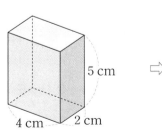

5 cm

4 cm   2 cm

⇨

1 cm
1 cm

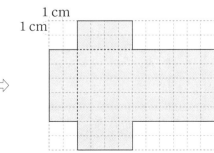

정육면체의 전개도

[01~02] 색칠한 면과 평행한 면에 색칠해 보세요.

01

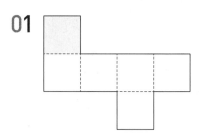

02

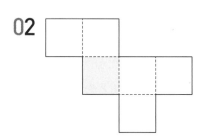

[03~04] 색칠한 면과 수직인 면에 모두 색칠해 보세요.

03

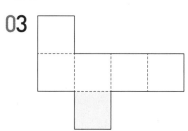

04

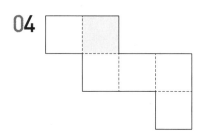

[05~07] 전개도를 접어서 정육면체를 만들었습니다. □ 안에 알맞게 써넣으세요.

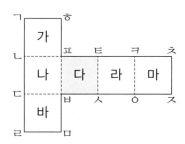

05 색칠한 면과 마주 보는 면은 면 ☐ 입니다.

06 색칠한 면과 수직인 면은 면 가, 면 나, 면 ☐, 면 ☐ 입니다.

07 선분 ㄹㅁ과 겹치는 선분은 선분 ☐ 입니다.

08 정육면체의 전개도를 완성해 보세요.

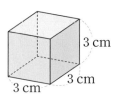

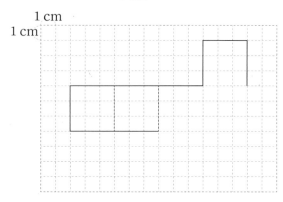

직육면체의 전개도

[09~12] 직육면체의 전개도이면 ◯표, 직육면체의 전개도가 <u>아니면</u> ×표 하세요.

09

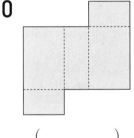

(   )

10

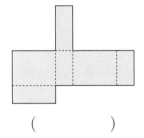

(   )

11

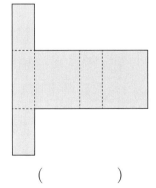

(   )

12

(   )

[13~15] 직육면체의 전개도를 완성해 보세요.

13

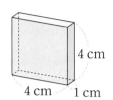

4 cm
4 cm   1 cm

1 cm
1 cm

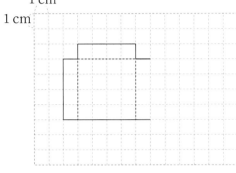

14

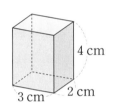

4 cm
3 cm   2 cm

1 cm
1 cm

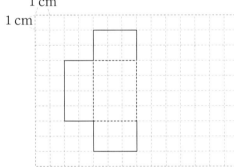

15

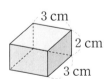

3 cm
2 cm
3 cm

1 cm
1 cm

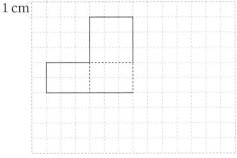

5

직육면체

01 그림을 보고 □ 안에 알맞게 써넣으세요.

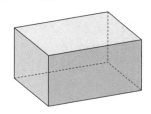

직사각형 6개로 둘러싸인 도형을 [   ](이)라고 합니다.

02 그림을 보고 직육면체를 모두 찾아 ○표 하세요.

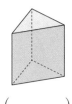 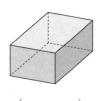   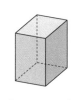

(   )　　(   )　　(   )　　(   )

Tip

직육면체는
직사각형 6개로 둘러싸인
도형이에요.

[03~04] 그림을 보고 물음에 답하세요.

가 　　나 　　다

라 　　마 　　바

03 정육면체를 모두 찾아 기호를 쓰세요.

(   )

04 직육면체가 <u>아닌</u> 것을 모두 찾아 기호를 쓰세요.

(   )

• 직육면체가 되려면 면이 모두
직사각형이어야 합니다.

05 직육면체에서 서로 평행한 면은 모두 몇 쌍일까요?

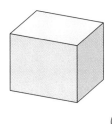

( )

직육면체에서
서로 마주 보는 면은
평행해요.

06 알맞은 말에 ◯표 하세요.

직육면체의 겨냥도는 직육면체 모양을 잘 알 수 있도록 보이는 모서리는 (실선 , 점선)으로, 보이지 않는 모서리는 (실선 , 점선)으로 그린 그림입니다.

5

직육면체

07 직육면체의 겨냥도를 바르게 그린 것을 찾아 기호를 쓰세요.

가 나

다 라

( )

• 실선과 점선을 잘 구분해서 직육면체의 겨냥도를 바르게 그린 것을 찾습니다.

[08~09] 직육면체를 보고 물음에 답하세요.

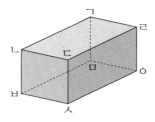

Tip

한 꼭짓점에서 만나는 면은 3개이고 한 꼭짓점을 중심으로 서로 수직이에요.

08 꼭짓점 ㄷ과 만나는 면을 모두 찾아 쓰세요.

(,   ,   )

09 알맞은 것에 ○표 하세요.

> 꼭짓점 ㄷ과 만나는 면들에 삼각자를 대어 보면, 꼭짓점 ㄷ을 중심으로 모두 (직각 , 평행)입니다.

10 바르게 말한 사람은 누구인지 이름을 쓰세요.

직육면체는 정육면체라고 말할 수 있어.

정육면체는 직육면체라고 말할 수 있어.

수후   수지

(   )

• 정육면체는 직육면체의 특징을 모두 가지고 있습니다.

11 직육면체의 전개도를 그린 것입니다. ☐ 안에 알맞은 수를 써넣으세요.

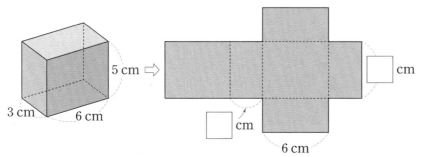

12 직육면체에서 면 ㄱㄴㄷㄹ과 평행한 면의 모서리 길이의 합을 구하세요.

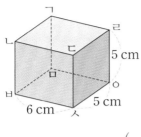

(   )

Tip

직육면체에서 평행한 면은?

서로 마주 보는 면이지.

13 정육면체의 모서리를 잘라서 정육면체의 전개도를 만들었습니다. ☐ 안에 알맞은 기호를 써넣으세요.

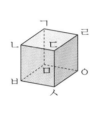 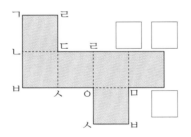

14 직육면체의 겨냥도를 보고 전개도를 완성해 보세요.

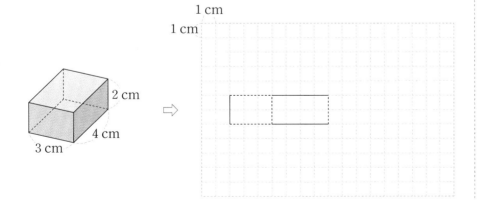

• 전개도를 그리고 난 후 모양과 크기가 같은 면이 3쌍 있는지, 접었을 때 만나는 모서리의 길이가 같은지, 겹치는 면은 없는지 확인합니다.

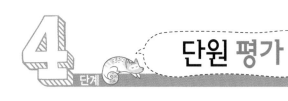

01 다음 중 직육면체가 <u>아닌</u> 도형을 모두 고르세요.
.... (   )

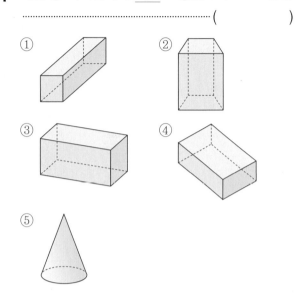

02 직육면체의 각 부분의 이름을 □ 안에 알맞게 써넣으세요.

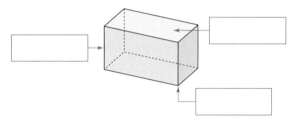

03 오른쪽 정육면체에서 면 ㉠은 어떤 도형일까요?

(   )

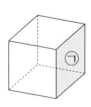

04 빈칸에 정육면체의 면, 모서리, 꼭짓점의 수를 각각 써넣으세요.

면의 수(개)	모서리의 수(개)	꼭짓점의 수(개)

[05～07] 직육면체를 보고 물음에 답하세요.

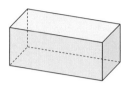

05 위와 같이 직육면체 모양을 잘 알 수 있도록 나타낸 그림을 직육면체의 무엇이라고 할까요?

(   )

06 보이지 않는 모서리는 몇 개일까요?

(   )

07 보이지 않는 면은 몇 개일까요?

(   )

08 그림에서 빠진 부분을 그려 넣어 직육면체의 겨냥도를 완성해 보세요.

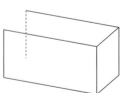

09 오른쪽 직육면체에서 색칠한 면과 평행한 면을 찾아 빗금으로 나타내어 보세요.

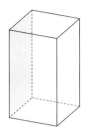

12 다음 중 정육면체의 전개도가 <u>아닌</u> 것은 어느 것일까요? ⸺⸺⸺ ( )

①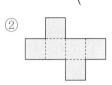
②

③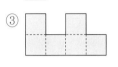
④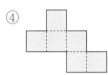

⑤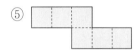

[10~11] 오른쪽 직육면체를 보고 물음에 답하세요.

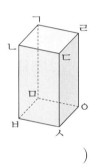

10 다음 면과 서로 평행한 면을 찾아 쓰세요.

면 ㄱㄴㄷㄹ과 면 ( )
면 ㄱㅁㅇㄹ과 면 ( )
면 ㄷㅅㅇㄹ과 면 ( )

[13~14] 직육면체의 전개도를 보고 물음에 답하세요.

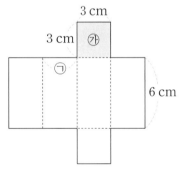

13 위의 전개도를 접어서 직육면체를 만들었을 때, 면 ㉮와 수직으로 만나는 면을 모두 찾아 위의 전개도에 빗금으로 나타내어 보세요.

11 면 ㄱㄴㅂㅁ과 수직인 면을 모두 찾아 쓰세요.

면 ( ),
면 ( ),
면 ( ),
면 ( )

14 ㉠의 길이는 몇 cm일까요?

( )

15 □ 안에 알맞은 수를 써넣으세요.

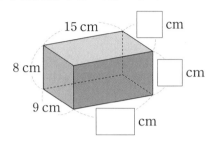

16 직육면체의 전개도를 그린 것입니다. □ 안에 알맞은 수를 써넣으세요.

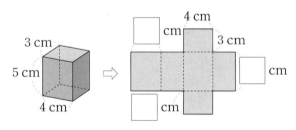

17 다음 설명 중 틀린 것을 찾아 기호를 쓰세요.

ㄱ 직육면체의 모서리는 12개입니다.
ㄴ 직육면체는 정육면체라고 할 수 있습니다.
ㄷ 정육면체는 모서리의 길이가 모두 같습니다.

( )

18 직육면체에서 길이가 8 cm인 모서리는 모두 몇 개일까요?

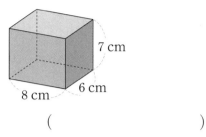

( )

19 정육면체의 모든 모서리의 길이의 합은 몇 cm 일까요?

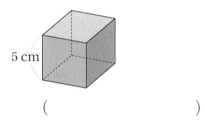

( )

20 한 모서리의 길이가 2 cm인 정육면체의 전개도를 그려 보세요.

스스로 학습장은 이 단원에서 배운 것을 확인하는 코너입니다.
몰랐던 것은 꼭 다시 공부해서 내 것으로 만들어 보아요.

• 스피드 정답표 12쪽, 정답 43쪽

✳ 질문에 답을 해 보면서 직육면체를 정리해 보세요.

1 직육면체를 모두 찾아 ◯표 하세요.

(   ) (   )

(   ) (   )

2 정육면체를 모두 찾아 ◯표 하세요.

 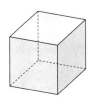

(   ) (   )

(   ) (   )

3 정육면체의 전개도를 찾아 ◯표 하세요.

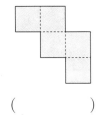 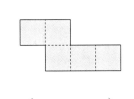

(   ) (   )

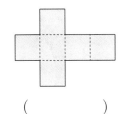 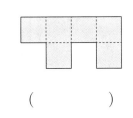

(   ) (   )

4 직육면체의 전개도를 찾아 ◯표 하세요.

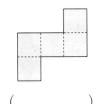 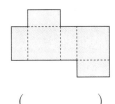

(   ) (   )

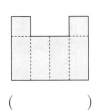 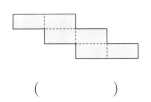

(   ) (   )

5

직육면체

6

평균과 가능성

QR 코드를 찍으면 6단원 개념 동영상 강의를 볼 수 있어요.

📖 이번에 배울 내용

- 평균을 알아보고 구하기
- 평균을 이용하여 문제 해결하기
- 일이 일어날 가능성을 말로 표현하기
- 일이 일어날 가능성을 비교하기
- 일이 일어날 가능성을 수로 표현하기

설마 라이트 형제 아저씨들의 연구 노트로 비행기를 만들려고요?

설마… 그건 반칙이죠!

반칙이라니! 내가 만든 비행기를 수정하는데 조금의 도움을 받는 건데…….

어쨌든 너희는 내 비행기가 완성될 때까지 여기서 나와 지내야 해.

망 했 다 -

헐~ 너 지금 이 상황에 배가 고파?

꼬 르 륵

얘들아, 혹시 너희 빵 좋아하니? 내가 빵을 사 올까?

그렇 다면

좋아하는 빵별 사람 수
(명)
단팥빵 소시지빵 고구마빵 피자빵

이건 우리 마을 사람들이 좋아하는 빵의 종류를 조사하여 나타낸 막대그래프란다.

막대 그래프요?

막대그래프는 자료를 막대 모양으로 나타낸 그래프야.

좋아하는 빵별 사람 수

(명) 10

5

0

사람 수
빵   단팥빵 소시지빵 고구마빵 피자빵

그래프에서 보면 가장 인기 있는 빵은 소시지빵이지!

저도 그 빵 좋아해요.

너희는 여기서 잠시 기다리렴. 난 가서 빵을 사 올테니~.

총 총

랭리 박사님은 생각보다 좋으신 분인 것 같아!

헐~ 지금 그게 중요한 게 아냐.

맞아, 뭔가 작전이 필요해.

작전?

[1~3] 정우네 반 학생들이 좋아하는 운동을 조사하여 나타낸 표입니다. 물음에 답하세요.

좋아하는 운동별 학생 수

운동	축구	야구	농구	피구	합계
학생 수(명)	8	5	6	4	23

1 위 표를 보고 막대그래프로 나타내어 보세요.

2 가장 많은 학생들이 좋아하는 운동은 무엇일까요?

(   )

3 가장 적은 학생들이 좋아하는 운동은 무엇일까요?

(   )

개념 체크 **1** ◀ 4학년 1학기 5단원

막대그래프로 나타내는 방법

① 가로와 세로 중 어느 쪽에 조사한 수를 나타낼 것인지를 정합니다.

② 눈금 한 칸의 크기를 정하고 조사한 수 중 가장 큰 수를 나타낼 수 있도록 눈금의 수를 정합니다.

③ 조사한 수에 맞도록 막대를 그립니다.

④ 막대그래프에 알맞은 제목을 붙입니다.

개념 체크 **2** ◀ 4학년 1학기 5단원

막대그래프의 내용 알아보기

막대그래프에서 막대의 길이가 길수록 좋아하는 운동별 학생 수가 많습니다.

개념 체크 **3** ◀ 4학년 1학기 5단원

막대그래프의 내용 알아보기

막대그래프에서 막대의 길이가 짧을수록 좋아하는 운동별 학생 수가 적습니다.

• 스피드 정답표 12쪽, 정답 44쪽

○월 ○일

[4~5] 은주가 운동장의 온도를 조사하여 나타낸 꺾은선그래프입니다. 물음에 답하세요.

운동장의 온도

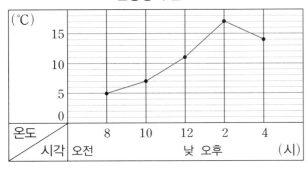

4 온도가 가장 높은 때는 몇 시일까요?

( )

5 온도가 가장 많이 변한 때는 몇 시와 몇 시 사이일까요?

( )

6 상민이가 식물의 키를 조사하여 나타낸 표를 보고 꺾은선그래프로 나타내어 보세요.

식물의 키

날짜(일)	1	2	3	4	5
키(cm)	4	6	9	12	16

식물의 키

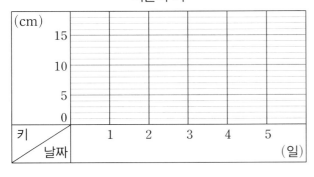

개념 체크 **4** ◀ 4학년 2학기 5단원

꺾은선그래프의 내용 알아보기

꺾은선그래프의 점이 가장 높게 찍힌 때가 온도가 가장 높습니다.

개념 체크 **5** ◀ 4학년 2학기 5단원

꺾은선그래프에서 변화하는 모양과 정도 알아보기

오른쪽이 올라감.
⇨ 값이 늘어남.

오른쪽이 내려감.
⇨ 값이 줄어듦.

변화 없음.

⇨ 선이 많이 기울어질수록 변화가 많습니다.

개념 체크 **6** ◀ 4학년 2학기 5단원

꺾은선그래프로 나타내는 방법

① 가로와 세로 중 어느 쪽에 조사한 수를 나타낼 것인지를 정합니다.

② 눈금 한 칸의 크기를 정하고 조사한 수 중 가장 큰 수를 나타낼 수 있도록 눈금의 수를 정합니다.

③ 가로 눈금과 세로 눈금이 만나는 자리에 점을 찍습니다.

④ 점들을 선분으로 잇습니다.

⑤ 꺾은선그래프에 알맞은 제목을 붙입니다.

6

평균과 가능성

박사님이 문을 잠그고 가셨나 봐.

이왕 이렇게 된 김에 기다렸다가 빵이나 먹자.

히잉~ 슬프다.

왜, 갑자기?

쟤는 이런 상황에도 빵 먹을 생각만 하니까……

수지야, 그러지 말고 저기 과녁판이 있는데 과녁 맞히기놀이나 하자.

그래! 과녁 맞히기 놀이하자.

앗싸! 6점이다.

난 5점이네.

난 4점.

수호야, 우리의 과녁 맞히기 점수를 대표하는 값은 어떻게 정하면 좋을까?

커헉! 여기서 또 수학 문제라니!

과녁 맞히기 점수 6, 4, 5를 모두 더해 자료의 수 3으로 나눈 수 5는 과녁 맞히기 점수를 대표하는 값으로 정할 수 있어. 이 값을 평균이라고 해.

과녁 맞히기 점수

이름	수지	수호	지니
점수(점)	6	4	5

⇨ $(6+4+5) \div 3 = 5$

↳ 대표하는 값, 즉 평균

그럼 난 평균 만큼을 맞혔군.

왜… 뭐?

네가 우리 점수의 평균을 깎아먹고 있잖아.

아…

◎ 평균 알아보기

• 과녁 맞히기 점수를 대표하는 값 구하기

과녁 맞히기 점수

이름	수지	수호	지니
점수(점)	6	4	5

과녁 맞히기 점수를 모두 더한 후 친구 수로 나눈 수를 과녁 맞히기 점수를 대표하는 값으로 정해요.

과녁 맞히기 점수 6, 4, 5를 모두 더해 자료의 수 3으로 나눈 수

⇨ $(6+4+5) \div 3 =$ ❶

⇨ 5는 과녁 맞히기 점수를 대표하는 값으로 정할 수 있습니다. 이 값을 평균이라고 합니다.

◐ 정답　❶ 5

[1~3] 선호네 모둠과 영미네 모둠이 투호에 넣은 화살 수를 나타낸 표입니다. 물음에 답하세요.

선호네 모둠이 넣은 화살 수

이름	넣은 화살 수(개)
선호	2
지혜	1
상미	5
승규	4

영미네 모둠이 넣은 화살 수

이름	넣은 화살 수(개)
영미	6
찬우	3
선아	3

1 선호네 모둠과 영미네 모둠은 각각 몇 명일까요?

선호네 모둠 (　　　　　　　　　　), 영미네 모둠 (　　　　　　　　　　)

2 선호네 모둠과 영미네 모둠은 투호에 화살을 각각 모두 몇 개 넣었을까요?

선호네 모둠 (　　　　　　　　　　), 영미네 모둠 (　　　　　　　　　　)

3 선호네 모둠과 영미네 모둠 중 어느 모둠이 더 잘했다고 생각할 수 있을까요?

(　　　　　　　　　　)

4 유민이네 학교 5학년 학급별 학생 수는 20명, 23명, 21명, 24명입니다. 대표적으로 한 학급당 학생 수를 정하는 올바른 방법에 ○표 하세요.

방법	○표
각 학급의 학생 수 20, 23, 21, 24 중 가장 큰 수인 24로 정합니다.	
각 학급의 학생 수 20, 23, 21, 24 중 가장 작은 수인 20으로 정합니다.	
각 학급의 학생 수 20, 23, 21, 24를 고르게 하면 22, 22, 22, 22가 되므로 22로 정합니다.	

6 평균과 가능성

첫! 다시 붙어. 저기 볼링 핀이 있네. 내가 먼저 한다~.

앗싸! 7개나 쓰러뜨렸어!

오 예

그럼 4회까지 내가 쓰러뜨린 볼링 핀의 수의 평균을 구해 볼까?

쓰러뜨린 볼링 핀의 수의 합을 횟수로 나누면 평균을 구할 수 있지. 내 기록의 평균은 8개이군.

볼링 핀 쓰러뜨리기 기록

회	1회	2회	3회	4회
쓰러뜨린 볼링 핀의 수(개)	9	6	10	7

(쓰러뜨린 볼링 핀의 수의 평균)
$= (9+6+10+7) \div 4 = 32 \div 4 = 8(개)$

이제 수지 네 차례야. 얼른 해. 나랑 기록을 겨뤄 보자고~.

짜잔 만만

쟤 혼자 뭐 하는 거야? 난 그럴 생각이 없다고~.

뭐야? 그럼 진작에 말했어야지.

얘들아, 그런데 이제 곧 우리가 온 곳으로 되돌아가야 해.

벌써?

짜잔

얘들아, 소시지빵을 4개 사 왔단다.

그럼 한 사람당 빵을 한 개씩만 먹는 거예요?

아니, 난 내가 먹을 도넛도 하나 더 사 왔지.

뭐야~ 치사하게

◎ **평균 구하기** (1)

• 평균 구하는 방법

볼링 핀 쓰러뜨리기 기록

회	1회	2회	3회	4회
쓰러뜨린 볼링 핀의 수(개)	9	6	10	7

(쓰러뜨린 볼링 핀의 수의 평균)

=(자료의 값을 모두 더한 수)÷(자료의 수)

=(9+6+10+7)÷4=32÷4=☐⁰(개)

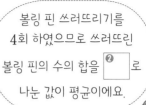

볼링 핀 쓰러뜨리기를 4회 하였으므로 쓰러뜨린 볼링 핀의 수의 합을 ❷ 로 나눈 값이 평균이에요.

◐ 정답 ❶ 8 ❷ 4

[**1~2**] 윤아네 모둠 친구들이 가지고 있는 연결 큐브입니다. 물음에 답하세요.

윤아   동욱   수진   현우

각 자료의 값을 고르게 해 평균을 구할 수 있어요.

1 연결 큐브를 옮겨 연결 큐브의 수를 고르게 하려고 합니다. ☐ 안에 알맞은 수를 써넣으세요.

수진이의 연결 큐브 1개를 윤아의 연결 큐브로, 현우의 연결 큐브 2개를 동욱이의 연결 큐브로 옮겨 연결 큐브를 모두 ☐ 개씩 연결했습니다.

2 윤아네 모둠 4명이 가지고 있는 연결 큐브 수의 평균은 얼마일까요?

(   )

3 철호의 국어, 수학, 사회, 과학 4과목의 점수를 나타낸 표입니다. 철호의 4과목의 점수의 평균은 몇 점인지 구하세요.

철호의 과목별 점수

과목	국어	수학	사회	과학
점수(점)	95	74	85	82

(평균)=(95+74+85+☐)÷4=☐÷4=☐(점)

평균 알아보기

[01~03] 지난주 효진이네 오후 2시의 교실의 온도를 조사하여 나타낸 표입니다. 물음에 답하세요.

오후 2시의 교실의 온도

요일	월	화	수	목	금
온도(℃)	19	21	22	23	20

01 대표적으로 지난주 오후 2시의 교실의 온도는 몇 ℃라고 말할 수 있을까요?

( )

02 지난주 오후 2시의 교실 온도의 평균을 정하는 올바른 방법에 ○표 하세요.

방법	○표
오후 2시의 교실의 온도 19, 21, 22, 23, 20 중 가장 작은 수인 19로 정합니다.	
오후 2시의 교실의 온도 19, 21, 22, 23, 20을 고르게 하면 21, 21, 21, 21, 21이 되므로 21로 정합니다.	
오후 2시의 교실의 온도 19, 21, 22, 23, 20 중 가장 큰 수인 23으로 정합니다.	

03 지난주 효진이네 오후 2시의 교실 온도의 평균은 몇 ℃일까요?

( )

평균 구하기 (1)

[04~07] 주어진 수들의 평균을 구하려고 합니다. □ 안에 알맞은 수를 써넣으세요.

04

8, 9, 2, 7, 4, 6

(평균)=(8+9+2+7+4+6)÷6

= ☐ ÷6= ☐

05

20, 35, 38, 28, 29

(평균)=(20+35+38+28+29)÷5

= ☐ ÷5= ☐

06

45, 42, 33, 31, 29

(평균)=(45+42+33+31+29)÷5

= ☐ ÷5= ☐

07

214, 187, 235, 176

(평균)=(214+187+235+176)÷4

= ☐ ÷4= ☐

[08~12] 주어진 수들의 평균을 구하세요.

08

92,   98,   83,   83

(   )

09

880,   870,   920,   730

(   )

10

32,   36,   28,   30,   29

(   )

11

10,   9,   19,   12,   15

(   )

12

54,   52,   48,   46,   55

(   )

[13~15] 은진이네 학교의 월별 도서관 이용자 수를 나타낸 표입니다. 물음에 답하세요.

도서관 이용자 수

월	2월	3월	4월	5월	6월
이용자 수(명)	51	48	38	42	41

13 2월부터 6월까지 도서관을 이용한 사람은 모두 몇 명일까요?

(   )

14 도서관 이용자 수를 조사한 것은 모두 몇 개월일 까요?

(   )

15 2월부터 6월까지 월별 도서관 이용자 수의 평균 은 몇 명일까요?

(   )

[16~18] 은수네 모둠의 윗몸 말아 올리기 기록을 나타낸 표입니다. 물음에 답하세요.

윗몸 말아 올리기 기록

이름	은수	승현	재욱	정민	윤선
윗몸 말아 올리기 기록(번)	27	37	32	27	37

16 은수네 모둠은 윗몸 말아 올리기를 모두 몇 번 했을까요?

(   )

17 은수네 모둠은 모두 몇 명일까요?

(   )

18 은수네 모둠의 윗몸 말아 올리기 기록의 평균은 몇 번일까요?

(   )

6

평균과 가능성

뭐가 치사하다고 하는 거야? 내가 사 왔는데…….

쳇!

그럼 투호놀이를 해서 투호에 넣은 화살 수의 평균이 더 많은 사람이 도넛을 먹는 건 어때요?

내가 손해보는 것 같긴 하지만 난 지성인이니까 내가 양보하지.

내가 먼저 하지. 4회까지 해서 평균을 내보자.

투 캉

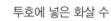

평균을 5개로 예상한 후 (5, 5), (6, 4)로 수를 옮기고 짝 지어 자료의 값을 고르게 하면 투호에 넣은 화살 수의 평균은 5개지.

투호에 넣은 화살 수

회	1회	2회	3회	4회
넣은 화살 수(개)	5	6	5	4

그럼 랭리 박사님의 평균은 5개네요. 그 정도는 제가 충분히 이길 것 같네요.

잘난척

쟨 저렇게 잘난척하면 항상 지던데…….

그러게~ 불안하네.

그건 그렇고 수지야~ 잠깐 귀 좀…….

텅

평균을 구하니 4개구나. 내가 이겼네.

믿을 수가 없어.

으아악

그럼 도넛을 먹어볼까?

잠깐!

◎ 평균 구하기 (2)

• 평균을 여러 가지 방법으로 구하기

투호에 넣은 화살 수

회	1회	2회	3회	4회
넣은 화살 수(개)	5	6	5	4

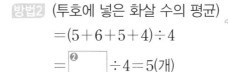 은 평균을 예상한 후 투호에 넣은 화살 수를 고르게 하여 평균을 구해요.

방법1 예상한 평균: 5개

평균을 5개로 예상한 후 (5, 5), (6, 4) 로 수를 옮기고 짝 지어 자료의 값을 고르게 하여 구한 투호에 넣은 화살 수 의 평균은 ❶ ☐ 개입니다.

방법2 (투호에 넣은 화살 수의 평균)

$= (5+6+5+4) \div 4$

$= \boxed{❷} \div 4 = 5$(개)

◎ 정답 ❶ 5 ❷ 20

[1~2] 연우네 반 과녁 맞히기 선수의 점수를 나타낸 표입니다. 이 선수 점수의 평균을 두 가지 방법으로 구하려고 합니다. 물음에 답하세요.

과녁 맞히기 선수의 점수

회	1회	2회	3회	4회	5회
점수(점)	3	0	4	3	5

방법1

1 선수 점수의 평균을 3점으로 예상한 후, 예상한 평균을 기준으로 ○표를 옮겨 선수 점수의 평균을 구하세요.

				○
		○		○
○		○	○	○
○		○	○	○
○		○	○	○
1회	2회	3회	4회	5회

⇨ 선수 점수의 평균은 ☐ 점입니다.

방법2

2 각각의 점수를 모두 더한 후 과녁 맞히기를 한 횟수로 나누어 선수 점수의 평균을 구하세요.

(평균) $= (3+0+4+3+\boxed{}) \div 5 = \boxed{} \div 5 = \boxed{}$ (점)

방법2 는 자료의 값을 모두 더해 자료의 수로 나누면 평균을 구할 수 있어요.

6

평균과 가능성

다시 해요.

어휴… 창피해.

난 지성인이니 그럼 내가 내는 문제를 맞히면 도넛을 한 입만 주도록 하지.

도넛을 먹을 수만 있다면 한 입이라도 괜찮아요.

모둠별 도서 대출 책 수의 평균이 6권일 때 모둠 친구 수가 4명인 모둠이 대출한 도서는 몇 권일까?

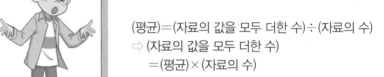

대출한 도서는 (평균)×(모둠 친구 수)=6×4=24(권)이에요.

(평균)=(자료의 값을 모두 더한 수)÷(자료의 수)
⇨ (자료의 값을 모두 더한 수)
＝(평균)×(자료의 수)

맞혔군.

역시 먹을 걸 앞에 두니 초능력이 생기는군.

당황

똑 똑 똑

누구세요?

무슨 일이죠?

전 마을 도서관의 책을 관리하는 일을 합니다.

그런데요?

지난주 대출한 책이 있더군요. 그걸 돌려 받으러 왔습니다.

아! 잠시만요. 좀 찾아볼게요.

네~.

그런데…… 왠지 낯익는데.

개념 클릭

◎ 평균을 이용하여 문제 해결하기

• 독서왕 모둠과 모둠 1의 도서 대출 책 수 구하기

도서 대출 책 수와 도서 대출 책 수의 평균

	모둠 1	모둠 2	모둠 3	모둠 4	모둠 5
모둠 친구 수(명)	4	4	4	5	5
도서 대출 책 수(권)		44	28	25	50
도서 대출 책 수의 평균(권)	6	11	7	5	10

(1) 독서왕 모둠 ⇨ 도서 대출 책 수의 평균이 가장 많은 모둠 ❶

(2) 모둠별 도서 대출 책 수의 평균이 6권일 때, 모둠 친구 수가 4명인 모둠 1의 도서 대출 책 수

⇨ (평균)=(도서 대출 책 수)÷(모둠 친구 수)이므로

(도서 대출 책 수)=(평균)×(모둠 친구 수)=6×4= ❷ (권)

독서왕 모둠은 모둠마다 친구 수가 다르기 때문에 도서 대출 책 수의 평균을 비교해야 해요.

⇨ 정답 ❶ 2 ❷ 24

---

1 현수의 팔굽혀펴기 기록을 나타낸 표입니다. 물음에 답하세요.

팔굽혀펴기 기록

회	1회	2회	3회	4회	5회	평균
팔굽혀펴기 기록(번)	15	18		13	14	15

(1) 현수는 팔굽혀펴기를 모두 몇 번 했을까요?

□ ×5=□ (번)

(2) 현수는 3회에 팔굽혀펴기를 몇 번 했을까요? (   )

(평균)×(횟수)는 팔굽혀펴기 기록의 합과 같아요.

---

2 진욱이와 서현이의 고리 던지기 기록을 나타낸 표입니다. 진욱이와 서현이가 건 고리 수의 평균이 같을 때, 물음에 답하세요.

진욱이가 건 고리 수

회	1회	2회	3회	4회	5회
건 고리 수(개)	6	4	3	5	7

서현이가 건 고리 수

회	1회	2회	3회	4회
건 고리 수(개)	8	4		6

(1) 진욱이가 건 고리의 수의 평균은 몇 개일까요?

(6+4+3+5+7)÷5=□ ÷5=□ (개)

(2) 서현이가 건 고리는 모두 몇 개일까요?

□ ×4=□ (개)

(3) 서현이가 3회에 건 고리는 몇 개일까요? (   )

6

평균과 가능성

평균 구하기 (2)

[01~02] 건우의 턱걸이 기록을 나타낸 표입니다. 턱걸이 기록의 평균을 두 가지 방법으로 구하세요.

턱걸이 기록

회	1회	2회	3회	4회	5회
기록(회)	2	5	4	6	8

방법1

01 턱걸이 기록의 평균을 예상하고, 예상한 평균을 기준으로 ○표를 옮겨 턱걸이 기록의 평균을 구하세요.

				○
				○
			○	○
	○		○	○
	○	○	○	○
	○	○	○	○
○	○	○	○	○
○	○	○	○	○
1회	2회	3회	4회	5회

⇨ 턱걸이 기록의 평균은 ☐회입니다.

방법2

02 각각의 턱걸이 기록을 모두 더한 후 턱걸이를 한 횟수로 나누어 턱걸이 기록의 평균을 구하세요.

(턱걸이 기록의 평균)

$= (2+5+4+☐+☐) \div 5$

$= ☐ \div 5 = ☐$ (회)

[03~04] 영선이가 월요일부터 금요일까지 독서한 시간을 나타낸 표입니다. 독서 시간의 평균을 두 가지 방법으로 구하세요.

영선이가 독서한 시간

요일	월	화	수	목	금
독서 시간(분)	35	20	25	40	30

방법1

03 독서 시간의 평균을 예상하고, 예상한 평균으로 시간을 고르게 하여 독서 시간의 평균을 구하세요.

예상한 평균: 30분

평균을 ☐으로 예상한 후

30, (35, 25), (20, ☐)으로 수를 옮기고 짝 지어 자료의 값을 고르게 하면 모두

☐분으로 나타낼 수 있습니다.

⇨ (독서 시간의 평균)= ☐분

방법2

04 각각의 독서 시간을 모두 더한 후 독서를 한 날 수로 나누어 독서 시간의 평균을 구하세요.

(독서 시간의 평균)

$= (35+20+25+☐+☐) \div ☐$

$= ☐ \div 5 = ☐$ (분)

평균을 이용하여 문제 해결하기

[05~06] 세현이의 공던지기 기록을 나타낸 표입니다. 세현이의 공던지기 기록의 평균이 13 m일 때, 물음에 답하세요.

공던지기 기록

회	1회	2회	3회	4회	5회
기록(m)	8		17	16	14

05 세현이가 5회까지 던진 기록의 합은 몇 m일까요?

$$13 \times 5 = \boxed{} \text{(m)}$$

06 세현이가 2회에 던진 기록은 몇 m일까요?

(   )

[07~08] 재민이네 학교 5학년 반별 학생 수를 나타낸 표입니다. 5학년 반별 학생 수의 평균이 23명일 때, 물음에 답하세요.

반별 학생 수

반	1반	2반	3반	4반	5반
학생 수(명)	21	25		26	20

07 5학년 학생은 모두 몇 명일까요?

$$23 \times 5 = \boxed{} \text{(명)}$$

08 5학년 3반 학생은 몇 명일까요?

(   )

[09~10] 은진이네 가족의 나이를 나타낸 표입니다. 은진이네 가족의 나이의 평균이 26살일 때, 물음에 답하세요.

은진이네 가족의 나이

가족	아빠	엄마	은진	동생
나이(살)	45	40	12	

09 은진이네 가족의 나이는 모두 몇 살일까요?

$$26 \times \boxed{} = \boxed{} \text{(살)}$$

10 동생은 몇 살일까요?

(   )

[11~12] 준영이네 모둠의 수학 점수를 나타낸 표입니다. 준영이네 모둠의 수학 점수의 평균이 90점일 때, 물음에 답하세요.

준영이네 모둠의 수학 점수

이름	준영	연희	수영	재호	승준
점수(점)	95	92		88	90

11 준영이네 모둠의 수학 점수는 모두 몇 점일까요?

$$90 \times \boxed{} = \boxed{} \text{(점)}$$

12 수영이의 수학 점수는 몇 점일까요?

(   )

6

평균과 가능성

잠시 후

완성이다.

재! 그럼 시험 비행을 해 볼까!

수지와 수호가 없어서 좀 아쉽긴 하네.

그러게. 꼭 비행하는 모습을 보여주고 싶었는데……

계속 기다릴 순 없으니……

아무튼 낼 날씨가 좋아야 하는데 내일은 비가 올 가능성이 있을까?

가능성? 무슨 가능성?

가능성은 어떠한 상황에서 특정한 일이 일어나길 기대할 수 있는 정도를 말하고 가능성의 정도는 다음과 같이 표현하지.

가능성의 정도는 불가능하다, ~아닐 것 같다, 반반이다, ~일 것 같다, 확실하다 등으로 표현할 수 있습니다.

그래서 날씨가 어떨 것 같아?

낼 날씨는 오전에는 맑고 오후에는 구름이 있지만 해가 보일 것 같다고 하니까 비가 오지 않을 것 같아.

라이트 형제!!

여기 편지가 왔어요.

고맙습니다. 지니에게 온 편지네.

내가 책을 어디 두었더라?

수지야, 혹시……

맞아, 지니야. 지니가 랭리 박사님과 이야기하면서 마법을 걸었어.

그래서 아마 라이트 형제의 '비밀노트'가 대출한 책으로 보일 거야.

오호~

◎ 일이 일어날 가능성을 말로 표현하기

• 가능성: 어떠한 상황에서 특정한 일이 일어나길 기대할 수 있는 정도

예

일 \ 가능성	불가능하다	반반이다	확실하다
계산기에 '5+5='을 누르면 10이 나올 것입니다.			○
1부터 6까지의 눈이 있는 주사위를 굴리면 주사위 눈의 수가 홀수가 나올 것입니다.		○	
내년 1월 달력에는 날짜가 33일까지 있을 것입니다.	○		

월요일 다음에 화요일이 올 가능성을 말로 ❶ ⬜ 로 표현할 수 있어요.

• 가능성의 정도는 불가능하다, ~아닐 것 같다, 반반이다, ~일 것 같다, 확실하다 등으로 표현할 수 있습니다.

◎ 정답 ❶ 확실하다

---

1 일이 일어날 가능성을 찾아 선으로 이으세요.

동전을 던지면 그림 면이 나올 것입니다.	코끼리는 하늘을 날 수 있을 것입니다.	내일 아침에 동쪽에서 해가 뜰 것입니다.

확실하다	불가능하다	반반이다

2 일이 일어날 가능성이 확실한 것에 모두 ○표 하세요.

(1) 검은색 바둑돌만 들어 있는 주머니에서 꺼낸 바둑돌은 검은색일 것입니다. (   )

(2) 1부터 6까지의 눈이 있는 주사위를 굴리면 주사위 눈의 수가 0이 나올 것입니다. (   )

(3) 해가 서쪽으로 질 것입니다. (   )

일이 일어날 가능성의 정도를 어떻게 표현하면 좋을까?

불가능하다, ~아닐 것 같다, 반반이다, ~일 것 같다, 확실하다 등으로 표현할 수 있지.

3 일이 일어날 가능성을 '불가능하다', '반반이다', '확실하다' 중 1가지로 표현해 보세요.

> 1부터 6까지의 눈이 있는 주사위를 굴리면 주사위 눈의 수가 8이 나올 것입니다.

(   )

수호야, 그리고 내 생각엔 랭리 박사님이 비행기를 만들 가능성은 불가능해.

불가능하다라는 말이 무슨 뜻이야?

회전판을 돌릴 때 화살이 빨간색에 멈출 가능성을 비교해 보면 다음과 같아. 회전판 가처럼 빨간색에 멈출 가능성이 불가능하다 즉, 일이 일어날 가능성이 없다는 뜻이지.

〈회전판을 돌릴 때 화살이 빨간색에 멈출 가능성을 비교하기〉

가 나 다 라 마

← 일이 일어날 가능성이 낮습니다.

일이 일어날 가능성이 높습니다. →

~아닐 것 같다	~일 것 같다
나	라

불가능하다 | 반반이다 | 확실하다
가 | 다 | 마

찾았다!!

여기 있네요!! 찾았어요!!

아~ 감사합니다.

고맙습니다~ 그럼…….

잠깐!!

아마도 당신은 아까부터 안 보이던 지니!!

들켰다!

안타깝지만 이 책은…….

죄송해요!! 랭리 박사님!!

이 노트는 원래 라이트 형제 거예요!!

타 앗

타 타 타

안 돼!! 돌려줘!!

타 타

어떡하지? 이러다 잡히겠어!

타 타 타

걱정 마! 다음 작전도 있어!!

◎ 일이 일어날 가능성을 비교하기

• 회전판을 돌릴 때 화살이 빨간색에 멈출 가능성을 비교하기

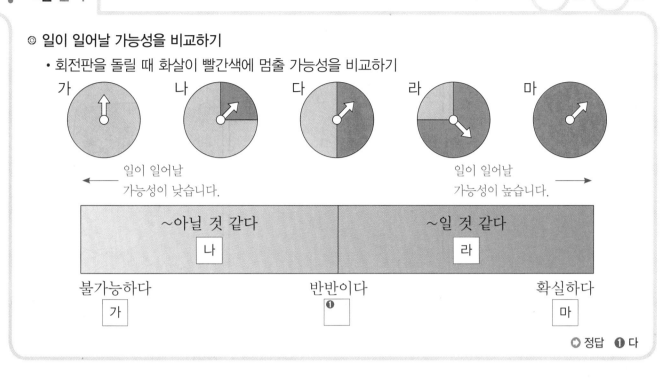

← 일이 일어날 가능성이 낮습니다.

일이 일어날 가능성이 높습니다. →

~아닐 것 같다	~일 것 같다
나	라

불가능하다
가

반반이다
❶

확실하다
마

⟳ 정답 ❶ 다

[1~2] 윤주와 친구들이 말하는 일이 일어날 가능성을 비교하려고 합니다. 물음에 답하세요.

> 윤주: 오늘 우리 집에 공룡이 올 거야.
> 승기: 내일은 오늘보다 추울 거야.
> 가은: 오늘은 화요일이니까 내일은 수요일일 거야.

일이 일어날 가능성을 판단해 보고, 가능성을 비교해 보세요.

1 윤주와 친구들이 말하는 일이 일어날 가능성을 찾아 기호를 쓰세요.

> ㉠ 확실하다   ㉡ 반반이다   ㉢ 불가능하다

윤주 (   ), 승기 (   ), 가은 (   )

2 일이 일어날 가능성이 높은 순서대로 이름을 쓰세요.

(   )

3 일이 일어날 가능성이 더 높은 것을 찾아 ○표 하세요.

(1) 다음 주에는 일주일 내내 비가 올 것입니다. ⋯⋯⋯⋯⋯⋯⋯⋯⋯⋯⋯⋯ (   )

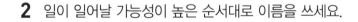

(2) 내년에는 2월이 3월보다 빨리 올 것입니다. ⋯⋯⋯⋯⋯⋯⋯⋯⋯⋯⋯⋯ (   )

6

평균과 가능성

이걸 받아!

펄럭 펄럭

펄럭

모두 어서 양탄자에 타!!

라이트 형제! 고마워요!!

드디어 비행에 성공하셨네요!

응!! 드디어 비행기를 만들었어!!

이제 우리는 돌아갈 시간이야!

응! 아쉽지만~.

돌아가려면 이 회전판을 돌려 화살이 파란색에 멈춰야 해!

가능성을 수로 표현하면 얼마지?

화살이 파란색에 멈출 가능성은 반반이니까 수로 표현하면 $\frac{1}{2}$이야.

- 회전판을 돌릴 때 화살이 파란색에 멈출 가능성을 말과 0부터 1까지의 수로 표현하기

말 반반이다

수 $\frac{1}{2}$

라이트 형제 아저씨들 안녕히 계세요!!

슈웅

근데 쟤들 어찌 날지?

헉! 정말?

아~ 비행기를 완성했잖아. 애들이 나는 건 뭐지? 꿈을 꾼 건가?

내 꿈도 날아갔다~

◎ 일이 일어날 가능성을 수로 표현하기

• 회전판을 돌릴 때 화살이 파란색에 멈출 가능성을 말과 0부터 1까지의
수로 표현하기

가 　　나 　　다

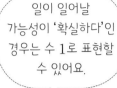
일이 일어날 가능성이 '확실하다'인 경우는 수 1로 표현할 수 있어요.

|말| 불가능하다　　|말| 반반이다　　|말| 확실하다

|수| 0　　|수| ❶ ▭　　|수| 1

• 화살이 파란색에 멈출 가능성을 수직선에 나타내기

가　　　　　나　　　　　❷▭

0　　　　　$\frac{1}{2}$　　　　　1

◑ 정답 ❶ $\frac{1}{2}$　❷ 다

---

1 파란색 구슬 2개가 들어 있는 주머니에서 구슬 1개를 꺼내려고 합니다. 일이 일어날 가능성을 0부터 1까지의 수로 표현하려고 합니다. ▭ 안에 알맞은 수를 써넣으세요.

(1) 꺼낸 구슬이 빨간색일 가능성을 수로 표현하면 ▭ 입니다.

(2) 꺼낸 구슬이 파란색일 가능성을 수로 표현하면 ▭ 입니다.

2 500원짜리 동전 1개를 던졌을 때 일이 일어날 가능성을 0부터 1까지의 수로 표현하려고 합니다. ▭ 안에 알맞은 수를 써넣으세요.

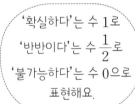
'확실하다'는 수 1로 '반반이다'는 수 $\frac{1}{2}$로 '불가능하다'는 수 0으로 표현해요.

(1) 그림 면이 나올 가능성을 수로 표현하면 $\frac{▭}{▭}$ 입니다.

(2) 숫자 면이 나올 가능성을 수로 표현하면 $\frac{▭}{▭}$ 입니다.

3 일이 일어날 가능성이 '불가능하다'이면 0, '반반이다'이면 $\frac{1}{2}$, '확실하다'이면 1로 표현하려고 합니다. 흰색 바둑돌 4개가 들어 있는 주머니에서 바둑돌 1개를 꺼낼 때, 꺼낸 바둑돌이 검은색일 가능성을 ↓로 나타내어 보세요.

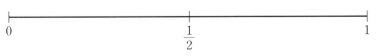

0　　　　　$\frac{1}{2}$　　　　　1

6
평균과 가능성

일이 일어날 가능성을 말로 표현하기

[01~04] 일이 일어날 가능성을 알맞게 표현한 것에 ◯표 하세요.

01 100원짜리 동전을 던지면 그림 면이 나올 것입니다.

(불가능하다 , 반반이다 , 확실하다)

02 주원이는 형보다 나이가 많을 것입니다.

(불가능하다 , 반반이다 , 확실하다)

03 한 명의 아이가 태어났을 때 여자 아이일 것입니다.

(불가능하다 , 반반이다 , 확실하다)

04 내년에는 10월이 8월보다 늦게 올 것입니다.

(불가능하다 , 반반이다 , 확실하다)

[05~08] 일이 일어날 가능성을 보기 에서 찾아 기호를 쓰세요.

보기
ㄱ 불가능하다   ㄴ ~아닐 것 같다
ㄷ 반반이다   ㄹ ~일 것 같다
ㅁ 확실하다

05 흰색 공만 3개가 들어 있는 주머니에서 꺼낸 공은 검은색일 것입니다. ·············· (   )

06 5와 4를 곱하면 20이 나올 것입니다.

·· (   )

07 1부터 6까지의 눈이 있는 주사위를 2번 굴리면 주사위 눈의 수가 모두 3이 나올 것입니다.

·· (   )

08 1과 2가 쓰여진 2장의 수 카드 중에서 한 장을 뽑으면 2가 나올 것입니다. ·············· (   )

일이 일어날 가능성을 비교하기

[09~11] 준기, 연우, 슬기는 노란색과 초록색을 사용하여 각각 회전판을 만들었습니다. 물음에 답하세요.

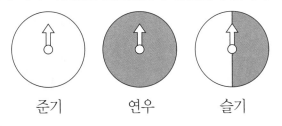

09 준기, 연우, 슬기가 만든 회전판을 각각 돌릴 때 화살이 초록색에 멈출 가능성을 찾아 선으로 이으세요.

준기 ·	· 확실하다
연우 ·	· 반반이다
슬기 ·	· 불가능하다

10 회전판을 돌릴 때 화살이 초록색에 멈출 가능성이 가장 높은 회전판은 누가 만든 회전판일까요?

( )

11 회전판을 돌릴 때 화살이 초록색에 멈출 가능성이 가장 낮은 회전판은 누가 만든 회전판일까요?

( )

일이 일어날 가능성을 수로 표현하기

[12~13] 검은색 바둑돌 2개가 들어 있는 주머니에서 바둑돌 1개를 꺼냈습니다. 물음에 답하세요.

12 꺼낸 바둑돌이 흰색일 가능성을 0부터 1까지의 수 중에서 어떤 수로 표현할 수 있을까요?

( )

13 꺼낸 바둑돌이 검은색일 가능성을 0부터 1까지의 수 중에서 어떤 수로 표현할 수 있을까요?

( )

[14~15] 흰색 바둑돌 1개와 검은색 바둑돌 1개가 들어 있는 주머니에서 바둑돌 1개를 꺼냈습니다. 물음에 답하세요.

14 꺼낸 바둑돌이 흰색일 가능성을 0부터 1까지의 수 중에서 어떤 수로 표현할 수 있을까요?

( )

15 꺼낸 바둑돌이 검은색일 가능성을 0부터 1까지의 수 중에서 어떤 수로 표현할 수 있을까요?

( )

6

평균과 가능성

[01~02] 주하네 학교 5학년 학급별 안경을 쓴 학생 수를 나타낸 표입니다.
물음에 답하세요.

학급별 안경을 쓴 학생 수

학급(반)	인	의	예	지	신
학생 수(명)	7	11	10	8	9

01 한 학급당 안경을 쓴 학생 수를 정하는 올바른 방법에 ○표 하세요.

방법	○표
각 학급의 안경을 쓴 학생 수 7, 11, 10, 8, 9 중 가장 큰 수인 11로 정합니다.	
각 학급의 안경을 쓴 학생 수 7, 11, 10, 8, 9 중 가장 작은 수인 7로 정합니다.	
각 학급의 안경을 쓴 학생 수 7, 11, 10, 8, 9를 고르게 하면 9, 9, 9, 9, 9가 되므로 9로 정합니다.	

Tip

• 각 학급의 안경을 쓴 학생 수를 고르게 하여 대표하는 값으로 정할 수 있습니다. 이 값을 평균이라고 합니다.

02 학급별 안경을 쓴 학생 수의 평균은 몇 명일까요?

(   )

03 윤기가 5일 동안 마신 우유의 양을 나타낸 표입니다. 윤기가 마신 우유의 양의 평균을 구하세요.

윤기가 5일 동안 마신 우유의 양

요일	월	화	수	목	금
우유의 양(mL)	200	350	250	400	300

$$(200+350+250+\boxed{}+\boxed{})\div\boxed{}$$

$$=\boxed{}\div5=\boxed{}\ (\text{mL})$$

(평균)=(자료의 값을 모두 더한 수)÷(자료의 수)

04 민하네 모둠이 모은 붙임 딱지의 수를 나타낸 표입니다. 민하네 모둠이 모은 붙임 딱지 수의 평균을 두 가지 방법으로 구하세요.

붙임 딱지의 수

이름	민하	기철	은수	동하
붙임 딱지의 수(장)	20	19	25	16

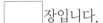 **방법1**

예상한 평균 (   )

평균을 [   ]으로 예상한 후 수를 옮기고 짝 지어 자료의 값을 고르게 하여 구한 붙임 딱지 수의 평균은 [   ]장입니다.

방법2

(붙임 딱지 수의 평균)

$= (20 + 19 + \boxed{} + \boxed{})$
$\div 4$

$= \boxed{} \div 4 = \boxed{}$ (장)

Tip

방법1 에서 예상한 평균으로 고르게 맞춰지지 않는 경우 평균을 다시 예상하고 고르게 맞추는 과정을 반복해요.

[05~06] 진형이네 모둠과 승희네 모둠의 제기차기 기록을 나타낸 표입니다. 물음에 답하세요.

진형이네 모둠의 제기차기 기록

이름	제기차기 기록(개)
진형	5
선아	7
준영	1
예희	9
상호	8

승희네 모둠의 제기차기 기록

이름	제기차기 기록(개)
승희	9
형준	4
연아	10
승민	5

05 진형이네 모둠과 승희네 모둠의 제기차기 기록의 평균은 각각 몇 개일까요?

진형이네 모둠 (   )
승희네 모둠 (   )

06 진형이네 모둠과 승희네 모둠 중 어느 모둠이 더 잘했다고 볼 수 있을까요?

(   )

• 각 모둠의 제기차기 기록의 평균을 각각 구하고 크기를 비교해 봅니다.

6

평균과 가능성

07 일이 일어날 가능성을 생각해 보고, 알맞게 표현한 곳에 ○표 하세요.

Tip

일 \ 가능성	불가능 하다	~아닐 것 같다	반반 이다	~일 것 같다	확실 하다
2와 4를 곱하면 10이 될 것입니다.					
내년에는 1월이 3월보다 빨리 올 것입니다.					
은행에서 뽑은 대기 번호표의 번호가 짝수일 것입니다.					
1부터 6까지의 눈이 있는 주사위를 굴리면 주사위 눈의 수가 2 이상으로 나올 것입니다.					
동전 4개를 동시에 던지면 4개 모두 그림 면이 나올 것입니다.					

어떠한 상황에서 특정한 일이 일어나길 기대할 수 있는 정도를 가능성이라고 해요.

[08~10] 회전판 돌리기를 하고 있습니다. 일이 일어날 가능성이 '불가능하다'이면 0, '반반이다'이면 $\frac{1}{2}$, '확실하다'이면 1로 표현할 때, 물음에 답하세요.

• 불가능   반반   확실
  하다   이다   하다

0       $\frac{1}{2}$ 1

 가

 나

08 회전판 가를 돌릴 때 화살이 빨간색에 멈출 가능성을 ↓로 나타내어 보세요.

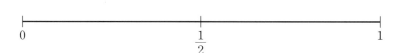

0       $\frac{1}{2}$ 1

09 회전판 가를 돌릴 때 화살이 파란색에 멈출 가능성을 ↓로 나타내어 보세요.

0       $\frac{1}{2}$ 1

10 회전판 나를 돌릴 때 화살이 파란색에 멈출 가능성을 ↓로 나타내어 보세요.

0       $\frac{1}{2}$ 1

11 당첨 제비만 5개 들어 있는 제비뽑기 상자에서 제비 1개를 뽑았을 때 뽑은 제비가 당첨 제비일 가능성을 말로 표현해 보세요.

말 _____

Tip

12 친구들이 말하는 일이 일어날 가능성이 높은 친구부터 순서대로 이름을 쓰세요.

> 지수: 지금은 오후 2시니깐 1시간 후에는 4시가 될 거야.
> 슬기: 지금 12살이니까 내년에는 13살이 될 거야.
> 준기: 동전을 던지면 숫자 면이 나올 거야.

(   )

각각 일이 일어날 가능성을 알아보세요.

13 윤서네 학교의 학년별 학생 수를 나타낸 표입니다. 윤서네 학교 학생 수의 평균이 133명일 때, 5학년 학생은 몇 명일까요?

학년별 학생 수

학년	1	2	3	4	5	6
학생 수(명)	136	133	132	134		133

(   )

• (평균)
  =(자료의 값을 모두 더한 수)
  ÷(자료의 수)
  ⇨ (자료의 값을 모두 더한 수)
  =(평균)×(자료의 수)

6

평균과 가능성

01 □ 안에 알맞은 말을 써넣으세요.

> 자료의 값을 모두 더해 자료의 수로 나눈 값으로서 대표하는 값을 □ 이라고 합니다.

02 수진이가 요일별로 받은 칭찬 붙임 딱지 수를 나타낸 표입니다. 수진이가 요일별 받은 칭찬 붙임 딱지 수의 평균을 구하세요.

칭찬 붙임 딱지 수

요일	월	화	수	목	금
칭찬 붙임 딱지 수(장)	3	5	2	6	4

$(3+5+\boxed{}+\boxed{}+\boxed{})\div 5$

$=\boxed{}\div 5=\boxed{}$(장)

[03~04] 현수네 모둠이 주운 도토리의 수를 나타낸 표입니다. 물음에 답하세요.

도토리의 수

이름	현수	수영	상희	미혜	상우
도토리의 수(개)	56	83	76	68	72

03 현수네 모둠이 주운 도토리는 모두 몇 개일까요?

( )

04 현수네 모둠이 주운 도토리의 수의 평균은 얼마일까요?

( )

[05~06] 선영이와 친구들이 가지고 있는 구슬 수를 나타낸 표입니다. 가지고 있는 구슬 수의 평균을 두 가지 방법으로 구하세요.

구슬 수

이름	선영	건우	홍주	성준
구슬 수(개)	2	5	3	6

05 선영이와 친구들이 가지고 있는 구슬 수만큼 ○표를 그려 나타냈습니다. 구슬 수를 고르게 해 평균을 구하세요.

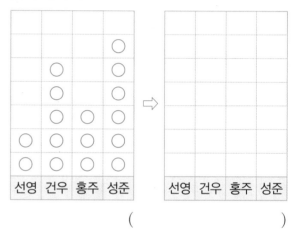

( )

06 각각의 구슬 수를 모두 더한 후 사람 수로 나누어 가지고 있는 구슬 수의 평균을 구하세요.

$(2+\boxed{}+\boxed{}+\boxed{})\div 4=\boxed{}$(개)

07 일이 일어날 가능성을 찾아 선으로 이으세요.

계산기에 '1+2='을 누르면 4가 나올 것입니다.	•	• 확실하다
		• 반반이다
내년 추석은 음력 8월 15일일 것입니다.	•	
		• 불가능하다

• 스피드 정답표 14쪽, 정답 47쪽 ◯ 월 ◯ 일

08 하음이네 모둠의 100 m 달리기 기록을 나타낸 표입니다. 하음이네 모둠의 100 m 달리기 기록의 평균은 몇 초일까요?

100 m 달리기 기록

이름	하음	도준	혜영	선미	윤석
기록(초)	20	20	24	19	17

( )

[09~10] 학생들의 키를 나타낸 표입니다. 물음에 답하세요.

학생들의 키
(단위: cm)

경희네 모둠	149	153	161	148	154
은우네 모둠	145	151	155	153	

09 모둠별 키의 평균은 각각 몇 cm일까요?

경희네 모둠 ( )
은우네 모둠 ( )

10 경희네 모둠과 은우네 모둠 중에서 어느 모둠의 키의 평균이 더 클까요?

( )

[11~12] 레몬맛 사탕 2개가 들어 있는 주머니에서 사탕 1개를 꺼냈습니다. 물음에 답하세요.

11 꺼낸 사탕이 레몬맛 사탕일 가능성을 0부터 1까지의 수 중에서 어떤 수로 표현할 수 있을까요?

( )

12 꺼낸 사탕이 포도맛 사탕일 가능성을 0부터 1까지의 수 중에서 어떤 수로 표현할 수 있을까요?

( )

13 일이 일어날 가능성이 '반반이다'인 것을 찾아 기호를 쓰세요.

> ㉠ 동전을 세 번 던지면 세 번 모두 숫자 면이 나올 것입니다.
> ㉡ 윷가락 한 개를 던지면 앞면이 나올 것입니다.
> ㉢ 흰색 바둑돌만 들어 있는 주머니에서 꺼낸 바둑돌은 흰색일 것입니다.

( )

14 일이 일어날 가능성이 '불가능하다'이면 0, '반반이다'이면 $\frac{1}{2}$, '확실하다'이면 1로 표현하려고 합니다. 오른쪽 회전판을 돌릴 때 화살이 초록색에 멈출 가능성을 ↓로 나타내어 보세요.

6
평균과 가능성

15 일이 일어날 가능성이 더 높은 것의 기호를 쓰세요.

> ㉠ 유리 구슬 3개가 들어 있는 주머니에서 꺼낸 구슬은 쇠 구슬일 것입니다.
> ㉡ 유리 구슬 1개와 쇠 구슬 1개가 들어 있는 주머니에서 꺼낸 구슬은 쇠 구슬일 것입니다.

( )

[16~17] 회전판 돌리기를 하고 있습니다. 물음에 답하세요.

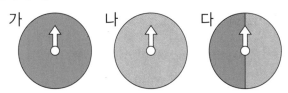

16 회전판을 돌릴 때 화살이 파란색에 멈출 가능성을 찾아 기호를 쓰세요.

> ㉠ 확실하다 ㉡ 반반이다 ㉢ 불가능하다

회전판	가	나	다
가능성			

17 회전판을 돌릴 때 화살이 파란색에 멈출 가능성이 높은 순서대로 기호를 쓰세요.

( )

18 윤아가 ○× 문제를 풀고 있습니다. ○라고 답했을 때, 정답을 맞혔을 가능성을 말과 0부터 1까지의 수로 표현해 보세요.

> 말 _____
>
> 수 _____

19 1 , 2 , 3 , 4 4장의 수 카드 중에서 짝수를 뽑을 가능성을 수직선에 나타내려고 합니다. 알맞은 곳의 기호를 쓰세요.

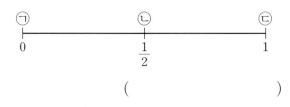

( )

20 민호의 과목별 점수입니다. 민호의 과목별 점수의 평균이 82점일 때, 수학 점수는 몇 점일까요?

과목별 점수

과목	국어	사회	수학	과학
점수(점)	90	75		80

( )

스스로 **학습장**

스스로 학습장은 이 단원에서 배운 것을 확인하는 코너입니다.
몰랐던 것은 꼭 다시 공부해서 내 것으로 만들어 보아요.

• 스피드 정답표 14쪽, 정답 48쪽

[1~4] 지난주 수호가 5일 동안 학교 수업이 끝난 뒤 숙제, 운동, 독서를 한 시간을 분 단위로 나타낸 표입니다. 물음에 답하세요.

요일별 활동 시간

요일 \ 활동	숙제	운동	독서
월	15	50	20
화	25	40	35
수	10	55	30
목	30	30	25
금	20	25	40

1 학교 수업이 끝난 뒤 숙제를 한 시간의 평균은 몇 분일까요?

(   )

2 학교 수업이 끝난 뒤 운동을 한 시간의 평균은 몇 분일까요?

(   )

3 학교 수업이 끝난 뒤 독서를 한 시간의 평균은 몇 분일까요?

(   )

4 수호가 학교 수업이 끝난 뒤 숙제, 운동, 독서 중 활동을 한 시간의 평균이 가장 긴 것은 무엇일까요?

(   )

에필로그

우아~
돌아왔다.

나도 집에 도착.

정말 재미있는
여행이었어.

나도~.

그런데 네 손에
든 건 뭐야?

뭐가?

헉!!

이걸 왜 내가?

설마 라이트 형제
아저씨들의 비밀 노트?

내가 이걸 가지고
온 것 때문에 역사가
바뀌었으면 어떡하지?

큰일이다!

얼른 확인해 보자.

위… 위인전!!
어… 디 있더라.

찾았다.

라이트
형제

뭐… 뭐가
바뀐 거 있어?

잠깐만!

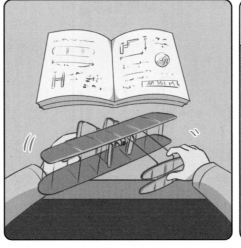

하늘을 나는 꿈을 꿈꾼
라이트 형제는 미국에서 태어났습니다.

라이트 형제는 어릴 적 아버지가 선물해 준 프로펠러가
달린 하늘을 나는 장난감을 가지고 놀면서 비행의 꿈을
가지게 되었습니다.

라이트 형제는 많은 책을 읽고 하늘을 나는 새를 관찰하며
그 꿈이 더욱 커져 비행기를 만들기 시작했습니다.

라이트 형제는 여러 차례의 비행실험 실패를
겪지만 비행에 관한 꿈은 커져만 갔습니다.

라이트 형제는 포기하지 않고 비행기 연구를
더욱 열심히 하였습니다.

그리고 마침내 1903년 12월 17일 세계 최초로
동력을 이용한 비행기를 띄우는 데 성공하였습니다.

그 후에도 수많은 노력 끝에 동력 비행기를 만드는 등
라이트 형제는 비행기 발전에 많은 노력을 하였답니다.

오늘처럼 하늘을 자유롭게 날게 된 것은 라이트 형제의
끊임없는 노력 때문입니다.

배움으로 행복한 내일을 꿈꾸는
천재교육 커뮤니티 안내 . . .

교재 안내부터 구매까지 한 번에!
천재교육 홈페이지

자사가 발행하는 참고서, 교과서에 대한 소개는 물론
도서 구매도 할 수 있습니다. 회원에게 지급되는 별을 모아
다양한 상품 응모에도 도전해 보세요!

다양한 교육 꿀팁에 깜짝 이벤트는 덤!
천재교육 인스타그램

천재교육의 새롭고 중요한 소식을 가장 먼저 접하고 싶다면?
천재교육 인스타그램 팔로우가 필수!
깜짝 이벤트도 수시로 진행되니 놓치지 마세요!

수업이 편리해지는
천재교육 ACA 사이트

오직 선생님만을 위한, 천재교육 모든 교재에 대한 정보가 담긴
아카 사이트에서는 다양한 수업자료 및 부가 자료는 물론
시험 출제에 필요한 문제도 다운로드하실 수 있습니다.

https://aca.chunjae.co.kr

천재교육을 사랑하는 샘들의 모임
천사샘

학원 강사, 공부방 선생님이시라면 누구나 가입할 수 있는 천사샘!
교재 개발 및 평가를 통해 교재 검토진으로 참여할 수 있는 기회는 물론
다양한 교사용 교재 증정 이벤트가 선생님을 기다립니다.

아이와 함께 성장하는 학부모들의 모임공간
튠맘 학습연구소

튠맘 학습연구소는 초·중등 학부모를 대상으로 다양한 이벤트와 함께
교재 리뷰 및 학습 정보를 제공하는 네이버 카페입니다.
초등학생, 중학생 자녀를 둔 학부모님이라면 튠맘 학습연구소로 오세요!

개념클릭

정답 및 풀이

초등 수학

5·2

천재교육

정답 및 풀이
포인트 3가지

▶ 빠르게 정답을 확인하는 스피드 정답

▶ 혼자서도 이해할 수 있는 친절한 문제 풀이

▶ 문제 해결에 필요한 핵심 내용 또는
   틀리기 쉬운 내용을 담은 참고와 주의

스피드 정답표

1. 수의 범위와 어림하기

10~11쪽 준비 학습

1 <
2 (1) 4　(2) 5
3 (1) >　(2) <　(3) <　(4) >
4 ㉮ 약 7 cm, 7 cm
5 3
6 215, 216, 217

13쪽 1단계 교과서 개념

1 8, 14, 10, 9에 ○표　　2 9, 3, 5에 ○표
3 4명　　4 영은, 다솜

15쪽 1단계 교과서 개념

1 12, 8, 10에 ○표　　2 11, 10에 ○표
3 효빈, 슬기, 재준　　4 2명

16~17쪽 2단계 개념 집중 연습

01 35, 25, 43, 28에 ○표
02 53, 51, 60, 43에 ○표
03 32, 17, 25에 △표
04 6, 14, 9에 △표
05 규빈, 은주, 재혁
06 65회, 63회
07 (수직선 11~18, 13에 ●)
08 (수직선 25~32, 28에 ●)
09 19, 21, 25에 ○표
10 41, 53, 37에 ○표

11 20, 17, 5에 △표
12 35, 23, 41, 38에 △표
13 128회, 129회
14 2명
15 (수직선 14~21, 18에 ◈)
16 (수직선 29~36, 32에 ◈)

19쪽 1단계 교과서 개념

1 12, 13, 14, 15, 16에 ○표
2 청장급　　3 45 kg 초과 50 kg 이하
4 (수직선 40~65, 45·50)

21쪽 1단계 교과서 개념

1 (위부터) 260, 300 / 440, 500
2 4.7　　3 7.2
4 5000　　5 5000원

22~23쪽 2단계 개념 집중 연습

01 21, 22, 23, 24에 ○표
02 35, 36, 37, 38, 39에 ○표
03 6, 7, 8, 9, 10에 ○표
04 17, 18, 19, 20에 ○표
05 (수직선 8~17, 11·15)
06 (수직선 18~27, 20·25)
07 39 이상 44 이하인 수
08 32 초과 36 미만인 수
09 8 이상 12 미만인 수
10 260에 ○표　　11 330에 ○표
12 5220에 ○표　　13 800에 ○표
14 4800에 ○표　　15 9300에 ○표
16 5000에 ○표　　17 3000에 ○표
18 7000에 ○표　　19 3.71
20 7.04

25쪽 | 1 단계 교과서 개념

1 (위부터) 520, 500 / 650, 600
2 4.8
3 6.1
4 740
5 740개

27쪽 | 1 단계 교과서 개념

1 (위부터) 5200, 5000 / 7700, 8000
2

4280　　　　4290

3 4280
4 약 4280걸음

29쪽 | 1 단계 교과서 개념

1 버림
2 8상자
3 올림
4 350권
5 148, 136, 151

30~31쪽 | 2 단계 개념 집중 연습

01 520에 ○표
02 780에 ○표
03 300에 ○표
04 6200에 ○표
05 2000에 ○표
06 4000에 ○표
07 9.24
08 5.41
09 2550에 ○표
10 1750에 ○표
11 8210에 ○표
12 1700에 ○표
13 2900에 ○표
14 5200에 ○표
15 8.3
16 3.1
17 7.4
18 470, 47
19 1800, 1800
20 570, 570

32~35쪽 | 3 단계 익힘책 익히기

01 37, 38에 ○표, 32, 33, 34, 35에 △표
02 26, 27, 28에 ○표, 22, 23, 24에 △표
03 13, 14, 15, 16에 ○표
04 ⑴ 희수, 보람, 민수, 정후
　　⑵ 46.0 kg, 45.7 kg, 44.0 kg
05 ⑴ 다연, 예서, 수진　⑵ 27권, 32권
06

20　21　22　23　24　25　26　27　28
07 ㉠, ㉢
08 1.3
09 5.4
10 ⑴ 340, <, 400　⑵ 2400, >, 2000
11 7810, 7800, 8000
12 3899
13 5, 6, 7, 8, 9
14 19000원
15 351상자
16 138, 107, 114, 123

36~38쪽 | 4 단계 단원 평가

01 3개
02 27, 31에 ○표, 11, 15, 13에 △표
03 2460
04 7000
05 5000
06 수진, 희준
07 27 이상 32 미만인 수
08 ④
09 53000, 52000
10
16　17　18　19　20　21　22　23　24
11
13　14　15　16　17　18　19　20
12 나
13 25초 이상 30초 미만
14
24　25　26　27　28　29　30　31　32
15 66
16 1200원, 2400원
17 4000원
18 ㉡
19 7개
20 97500

39쪽 | 스스로 학습장

1 ⑴ 48, 49, 50, 51, 52　⑵ 45, 46, 47, 48
　　⑶ 47, 48, 49　⑷ 47, 48, 49, 50
2 ⑴ 5100　⑵ 5070　⑶ 5100　⑷ 5000

2. 분수의 곱셈

42~43쪽 준비 학습

1 (1) 진 (2) 가 (3) 가 (4) 진

2 (1) $\frac{4}{3}$ (2) $\frac{12}{5}$ **3** (1) $1\frac{1}{6}$ (2) $1\frac{3}{7}$

4 (1) 3, 4 (2) 4, 2   **5** 3, 21, 41, 1, 17

6 (1) $4\frac{17}{20}$ (2) $3\frac{8}{21}$ **7** (1) $1\frac{14}{15}$ (2) $1\frac{7}{20}$

45쪽 **1** 단계 교과서 개념

1 4, 4, 2

2 방법1 5, 5, 1, 2   방법2 1, 1, 5, 1, 2

3 $4\frac{1}{6}$ **4** $1\frac{1}{8}$

5 $3\frac{1}{2}$ **6** $4\frac{4}{5}$

47쪽 **1** 단계 교과서 개념

1 2, 2, $2\frac{2}{3}$

2 방법1 9, 9, $\frac{9}{2}$, $4\frac{1}{2}$ 방법2 4, 1, 4, 1

3 $6\frac{2}{3}$ **4** $34\frac{1}{2}$

5 $4\frac{5}{7}$ **6** $16\frac{1}{2}$

49쪽 **1** 단계 교과서 개념

1 (1) 예

    (2) 1

2 방법1 15, $7\frac{1}{2}$ 방법2 15, 7, 1

3 $1\frac{3}{5}$ **4** $2\frac{7}{10}$

5 $13\frac{1}{3}$ **6** $12\frac{1}{2}$

50~51쪽 **2** 단계 개념 집중 연습

01 $\frac{4}{3}$, $1\frac{1}{3}$ **02** 3, $\frac{3}{2}$, $1\frac{1}{2}$

03 방법1 5, $\frac{5}{2}$, $2\frac{1}{2}$ 방법2 2, $\frac{5}{2}$, $2\frac{1}{2}$ 방법3 1, $\frac{5}{2}$, $2\frac{1}{2}$

04 $5\frac{5}{6}$ **05** $3\frac{1}{2}$ **06** $1\frac{3}{5}$

07 3, $\frac{44}{3}$, $14\frac{2}{3}$

08 2, 14, 1, 14, 1

09 방법1 2, $\frac{22}{3}$, $7\frac{1}{3}$ 방법2 2, 4, 7, 1

10 $9\frac{2}{3}$ **11** $14\frac{1}{4}$

12 $67\frac{1}{2}$ **13** $\frac{8}{9}$

14 2, $\frac{7}{2}$, $3\frac{1}{2}$ **15** $2\frac{2}{3}$

16 10   **17** $1\frac{3}{4}$

18 $2\frac{1}{4}$

53쪽 **1** 단계 교과서 개념

1 2, 6

2 방법1 3, 3, 57, 14, 1

   방법2 6, 3, 9, 2, 1, 14, 1

3 $17\frac{1}{2}$ **4** 15

5 $10\frac{1}{4}$ **6** $10\frac{1}{2}$

55쪽 **1** 단계 교과서 개념

1 4, 3, 12

2 (1) 6, 18 (2) 8, 10, 80

3 $\frac{1}{6}$ **4** $\frac{1}{35}$ **5** $\frac{1}{72}$

6 $\frac{1}{21}$ **7** $\frac{1}{72}$ **8** $\frac{1}{143}$

57쪽 — **1단계 교과서 개념**

1 $2, \dfrac{1}{10}$　　2 (1) $3, \dfrac{1}{18}$　(2) $3, \dfrac{2\times1}{7\times\boxed{3}}, \dfrac{2}{21}$

3 $\dfrac{1}{18}$　　4 $\dfrac{1}{24}$　　5 $\dfrac{2}{15}$　　6 $\dfrac{3}{50}$

58~59쪽 — **2단계 개념 집중 연습**

01 방법1 $3, 39$　방법2 $3, 3, 39$

02 48　　03 $30\dfrac{2}{3}$　　04 $16\dfrac{1}{2}$

05 $7\dfrac{2}{3}$　　06 28　　07 $10\dfrac{1}{2}$

08 $7, 63$　　09 $5, 16, 80$　　10 $12, 4, 48$

11 $\dfrac{1}{40}$　　12 $\dfrac{1}{66}$　　13 $\dfrac{1}{96}$

14 $3, \dfrac{1}{48}$　　15 $5, \dfrac{\boxed{1}\times1}{9\times\boxed{5}}, \dfrac{1}{45}$

16 $\dfrac{1}{24}$　　17 $\dfrac{3}{28}$　　18 $\dfrac{2}{45}$

19 $\dfrac{2}{21}$　　20 $\dfrac{2}{51}$

61쪽 — **1단계 교과서 개념**

1 (1) $\dfrac{\boxed{3}\times4}{5\times\boxed{7}}, \dfrac{12}{35}$　(2) $1, \dfrac{5}{18}$

2 $\dfrac{35}{48}$　　3 $\dfrac{9}{35}$　　4 $\dfrac{9}{32}$　　5 $\dfrac{7}{36}$

6 방법1 $\dfrac{4}{15}$　방법2 $\dfrac{1\times\boxed{2}\times2}{1\times5\times\boxed{3}}, \dfrac{4}{15}$

63쪽 — **1단계 교과서 개념**

1 $9, 7, 63, 3, 3$　　2 $3, 24, 3, 3$

3 $6, 2, 12$　　4 $7, 9, \dfrac{\boxed{3}\times9}{\boxed{7}\times1}, \dfrac{27}{7}, 3, 6$

5 $6\dfrac{1}{8}$　　6 20

64~65쪽 — **2단계 개념 집중 연습**

01 $21, \dfrac{5}{21}$　　02 $3, \dfrac{5}{24}$　　03 $5, \dfrac{7}{45}$

04 $\dfrac{3}{28}$　　05 $\dfrac{7}{18}$　　06 $\dfrac{6}{25}$

07 $\dfrac{1}{8}$　　08 $\dfrac{1}{9}$　　09 $\dfrac{8}{35}$

10 $\dfrac{1}{4}$　　11 $7, 5, 35, 2, 11$

12 $3, 11, \dfrac{33}{7}, 4, 5$　　13 $2, 1, \dfrac{1\times\boxed{1}\times1}{\boxed{2}\times4\times2}, \dfrac{1}{16}$

14 $3\dfrac{3}{8}$　　15 $7\dfrac{1}{7}$　　16 $9\dfrac{1}{3}$　　17 $7\dfrac{1}{2}$

18 4　　19 $\dfrac{3}{10}$　　20 $3\dfrac{1}{2}$

66~69쪽 — **3단계 익힘책 익히기**

01 $4, 8, 2, 2$　　02 $\dfrac{3\times\boxed{3}}{5\times\boxed{4}}, \dfrac{9}{20}$

03 (1) $8, 72$　(2) $12, \dfrac{5}{84}$

04 방법1 $9, \dfrac{9}{2}, 4\dfrac{1}{2}$　방법2 $2, \dfrac{9}{2}, 4\dfrac{1}{2}$

　방법3 $3, \dfrac{9}{2}, 4\dfrac{1}{2}$

05 (1) $\dfrac{1}{15}$　(2) $\dfrac{3}{35}$　(3) $\dfrac{4}{9}$　(4) $\dfrac{18}{25}$　(5) $2\dfrac{5}{8}$　(6) $3\dfrac{3}{14}$

06 (1) $5, 5, \dfrac{20}{7}, 2\dfrac{6}{7}$　(2) $3, 3, \dfrac{15}{8}, 1\dfrac{7}{8}$

07 (그림)　　08 $3\times1\dfrac{1}{4}, 3\times2\dfrac{5}{9}$에 ○표,

　　$3\times\dfrac{1}{5}$에 △표

09 (1) $>$　(2) $=$　　10 $\dfrac{1}{6}\times\boxed{5}=\dfrac{\boxed{5}}{6}$ / $\dfrac{5}{6}$ L

11 $24\times\dfrac{\boxed{3}}{8}=\boxed{9}$ / 9장

12 $\dfrac{1}{7}\times\dfrac{1}{8}$ 또는 $\dfrac{1}{8}\times\dfrac{1}{7}$

70~72쪽 | 4 단계 단원 평가

01 2, 2, 4, 1, 1

02 $\dfrac{2 \times \boxed{3}}{5 \times \boxed{4}}$, 6, 3

03 6, 54

04 4, 4, 8, 4, 8

05 ㄹ

06 9

07 $13\dfrac{1}{5}$

08 $6\dfrac{2}{5}$

09 $12 \times 3\dfrac{3}{8} = \overset{3}{\cancel{12}} \times \dfrac{27}{\underset{2}{\cancel{8}}} = \dfrac{81}{2} = 40\dfrac{1}{2}$

10 서윤

11 (선 잇기)

12 <

13 $5\dfrac{1}{3}$

14 $\dfrac{5}{8}$

15 $\dfrac{2}{5} \times \dfrac{5}{6}$에 ◯표

16 $12\,cm^2$

17 민석

18 2, 3, 4

19 $6 \times \dfrac{4}{5} = 4\dfrac{4}{5}$ / $4\dfrac{4}{5}$ m

20 $\dfrac{3}{5} \times \dfrac{1}{4} = \dfrac{3}{20}$ / $\dfrac{3}{20}$

73쪽 | 스스로 학습장

쪽지 시험		이름	수지
분수의 곱셈			

✽ 계산해 보세요.

① $\dfrac{2}{5} \times 2 = \dfrac{4}{5}$

⑤ $18 \times \dfrac{5}{9} = 10$

② $\dfrac{8}{15} \times 5 = \dfrac{8}{75}$ $2\dfrac{2}{3}$

⑥ $\dfrac{1}{9} \times \dfrac{2}{3} = \dfrac{2}{27}$

③ $1\dfrac{3}{5} \times 6 = 9\dfrac{3}{5}$

⑦ $1\dfrac{2}{3} \times 2\dfrac{4}{5} = 2\dfrac{2}{3}$ $4\dfrac{2}{3}$

④ $12 \times 1\dfrac{3}{4} = 12$ 21

⑧ $\dfrac{3}{7} \times \dfrac{2}{3} \times \dfrac{1}{5} = \dfrac{2}{35}$

3. 합동과 대칭

76~77쪽 | 준비 학습

1 (1) 130 (2) 60

2 30

3 110

4 가, 다, 라, 마 / 다, 마

5 (도형)

6 (도형), (도형)

79쪽 | 1 단계 교과서 개념

1

2 (도형)

3 사, 자, 차

81쪽 | 1 단계 교과서 개념

1 (1) 점 ㅁ (2) 변 ㅁㅂ (3) 각 ㅁㅂㄹ

2 9 cm

3 80°

82~83쪽 | 2 단계 개념 집중 연습

01 ( )(◯)

02 (◯)( )

03 ( )(◯)

04 (◯)( )

05 ( )(◯)

06 예

07 예 (육각형)

08 점 ㄹ

09 변 ㄹㅁ

10 각 ㄹㅂㅁ

11 점 ㅂ

12 변 ㅇㅁ

13 5 cm

14 8 cm

15 110°

16 80, 7

17 11, 40

18 9, 60

19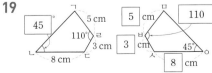

20 25

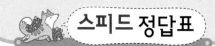

85쪽  **1** 단계 교과서 개념

1 다, 라

2   **3**

4 (1) 점 ㄹ (2) 변 ㄷㅂ (3) 각 ㄹㄷㅂ

87쪽 **1** 단계 교과서 개념

1 (1), (2)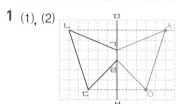

2 **3**

4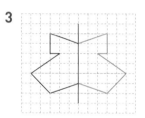

88~89 쪽 **2** 단계 개념 집중 연습

01 ( )(○)( ) **02** (○)( )( )

03 **04**

05 점 ㄷ **06** 변 ㄹㄷ

07 각 ㄹㄷㅂ **08** 5 cm

09 55° **10** 7

11 85, 8 **12** 8, 65

13 (위부터) 50, 3, 5

14 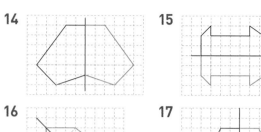 **15**

16 **17**

91쪽 **1** 단계 교과서 개념

1 다, 라

2 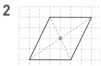 **3**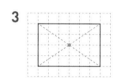

4 (1) 점 ㄹ (2) 변 ㄹㄱ (3) 각 ㄷㄹㄱ

93쪽 **1** 단계 교과서 개념

1 (1), (2)

2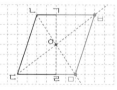

3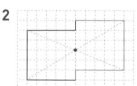

4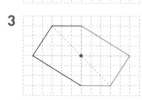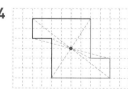

94~95쪽 · 2 단계 개념 집중 연습

01 ( )( )(◯) 02 ( )( )(◯)

03 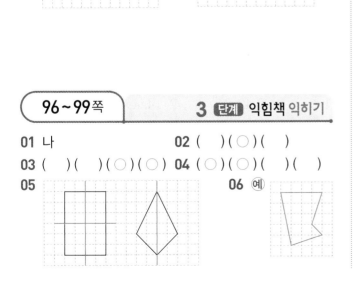 04

05 점 ㅂ　06 변 ㄴㄱ　07 각 ㄹㅁㅂ

08 8 cm　09 123°

10

11

12

13

14　15

16　17

96~99쪽 · 3 단계 익힘책 익히기

01 나　02 ( )(◯)( )

03 ( )( )(◯)(◯)　04 (◯)(◯)( )( )

05　06 예

07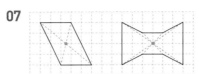

08 (1) 점 ㅁ　(2) 변 ㅁㅂ　(3) 각 ㅂㄹㅁ

09 (1) 5 cm　(2) 105°　(3) 40 cm

10 (1) 점 ㅂ　(2) 변 ㅂㅁ　(3) 각 ㅅㅂㅁ

11 (1) 변 ㄹㅁ　(2) 각 ㅁㅂㄱ

12 110, 9

100~102쪽 · 4 단계 단원 평가

01 라　02 가, 나, 다, 마

03 가, 다, 라, 마　04 가, 다, 마

05 2개　06 8

07 ④　08 점 ㄱ

09 점 ㅇ, 변 ㅅㅂ, 각 ㅂㅁㅇ

10 6 cm　11 40°

12　13

14 ㉢　15 100, 2

16 (왼쪽부터) 7, 120　17 40°

18 33 cm　19 56 cm²

20 16 cm

103쪽 · 스스로 학습장

1 9, 30　2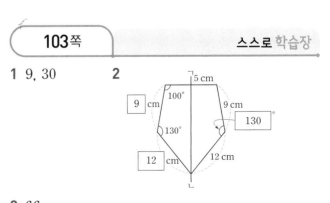

3 66

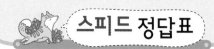

4. 소수의 곱셈

106~107쪽 준비 학습

1 0.01, 10, 100
2 (1) 135 (2) 2.58, 0.258
3 $\dfrac{4}{5}$
4 0.3, 0.7
5 (1) 2.18 (2) 0.96
6 2, $\dfrac{10}{3}$, $3\dfrac{1}{3}$
7 $\dfrac{4}{5}$

109쪽 1 단계 교과서 개념

1 방법1 0.5, 1.5
　 방법2 5, 5, 15, 1.5
　 방법3 15, 15, 1.5
2 2.7　　**3** 2.8　　**4** 5.6　　**5** 0.92

111쪽 1 단계 교과서 개념

1 4.8
2 12, 12, 48, 4.8
3 264, 264, 528, 5.28
4 44.8
5 11.04

112~113쪽 2 단계 개념 집중 연습

01 3, 3 / 21, 2.1
02 5, 5 / 25, 2.5
03 9, 9 / 36, 3.6
04 26, 26 / 182, 1.82
05 74, 74 / 222, 2.22
06 $0.4 \times 6 = \dfrac{4}{10} \times 6 = \dfrac{4 \times 6}{10} = \dfrac{24}{10} = 2.4$
07 $0.7 \times 5 = \dfrac{7}{10} \times 5 = \dfrac{7 \times 5}{10} = \dfrac{35}{10} = 3.5$
08 4.8　　**09** 6.3　　**10** 3.24
11 22, 22 / 66, 6.6
12 17, 17 / 85, 8.5
13 63, 63 / 126, 12.6
14 157, 157 / 1099, 10.99
15 293, 293 / 1465, 14.65
16 $2.3 \times 6 = \dfrac{23}{10} \times 6 = \dfrac{23 \times 6}{10} = \dfrac{138}{10} = 13.8$
17 $6.17 \times 2 = \dfrac{617}{100} \times 2 = \dfrac{617 \times 2}{100} = \dfrac{1234}{100} = 12.34$
18 13.6　　**19** 57.6
20 29.88

115쪽 1 단계 교과서 개념

1 5, 5, 15, 1.5
2 9, 9, 72, 7.2
3 6.3　　**4** 8　　**5** 18.4

117쪽 1 단계 교과서 개념

1 0.9, 3.9
2 방법1 26, 26 / 234, 23.4　 방법2 234 / 23.4
3 64.5
4 20.8

118~119쪽 2 단계 개념 집중 연습

01 9, 9 / 27, 2.7
02 7, 7 / 133, 13.3
03 74, 74 / 592, 5.92
04 208, 20.8
05 455, 4.55
06 $17 \times 0.6 = 17 \times \dfrac{6}{10} = \dfrac{17 \times 6}{10} = \dfrac{102}{10} = 10.2$
07 $62 \times 0.07 = 62 \times \dfrac{7}{100} = \dfrac{62 \times 7}{100} = \dfrac{434}{100} = 4.34$
08 1.35　　**09** 21.6　　**10** 2.48
11 19, 19 / 76, 7.6
12 16, 16 / 320, 32
13 271, 271 / 2439, 24.39
14 136, 13.6　　**15** 2520, 25.2
16 $14 \times 3.8 = 14 \times \dfrac{38}{10} = \dfrac{14 \times 38}{10} = \dfrac{532}{10} = 53.2$
17 $32 \times 1.04 = 32 \times \dfrac{104}{100} = \dfrac{32 \times 104}{100} = \dfrac{3328}{100} = 33.28$
18 11.2　　**19** 81　　**20** 43.5

121쪽 1 단계 교과서 개념

1 6, 7, 42, 0.42
2 14, 4, 56, 0.056
3 0.54　　**4** 0.28　　**5** 0.03

123쪽 1 단계 교과서 개념

1 방법1 26, 17, 442, 4.42　 방법2 442, 4.42
2 1.54　　**3** 2.996　　**4** 7.37　　**5** 3.968

125쪽   1 단계 교과서 개념

1 (1) 24, 24, 240, 2.4   (2) 24, 24, 2400, 24

   (3) 24, 24, 24000, 240

2 (1) 56, 56   (2) 8, 7, 56, 0.56

   (3) 8, 7, 56, 0.056

3 39.4   **4** 54

   394   5.4

   3940   0.54

126~127쪽   2 단계 개념 집중 연습

01 6, 4 / 24, 0.24   **02** 46, 9 / 414, 0.414

03 4, 25 / 100, 0.1   **04** 24, 0.24

05 384, 0.0384   **06** 0.48

07 0.205   **08** 0.576

09 1125, 11.25   **10** 6048, 6.048

11 $6.2 \times 1.8 = \dfrac{62}{10} \times \dfrac{18}{10} = \dfrac{1116}{100} = 11.16$

12 $2.63 \times 2.5 = \dfrac{263}{100} \times \dfrac{25}{10} = \dfrac{6575}{1000} = 6.575$

13 3.78   **14** 4.092   **15** 14.16

16 31.25   **17** 50.4   **18** 1431

   312.5   5.04   14.31

   3125   0.504

19 5.1   **20** 26.25

   0.51   0.2625

128~131쪽   3 단계 익힘책 익히기

01 0.7, 2.8 / 7, 7, 28, 2.8 / 7, 7, 28, 2.8

02 ㉡   **03** (1) 2.7   (2) 1.61

04 (1) 7, 7, 35, 3.5   (2) 128, 1.28

05 (1) 43.2   (2) 211.5   **06** ㉢

07 ㉢   **08** ㉡

09 ㉠ 자연수의 곱셈으로 계산하기

      241 × 12 = 2892

       ↘$\frac{1}{100}$배 ↓$\frac{1}{10}$배 ↘$\frac{1}{1000}$배

      2.41 × 1.2 = 2.892

10 23.75

11 0.001(또는 $\frac{1}{1000}$), 0.126 /

   ㉠ $0.9 \times 0.14 = \dfrac{9}{10} \times \dfrac{14}{100} = \dfrac{126}{1000} = 0.126$ /

   이유 0.01(또는 $\frac{1}{100}$), 0.001(또는 $\frac{1}{1000}$), 0.126

12 (1) 0.21   (2) 0.318

132~134쪽   4 단계 단원 평가

01 1.8 / 3, 1.8   **02** 7, 7 / 56, 5.6

03 8, 8 / 280, 28   **04** (위부터) 512, 10, 51.2

05 5.1   **06** 6.65

07 4.27, 42.7, 427   **08** 1.944

09 $0.9 \times 0.4 = \dfrac{9}{10} \times \dfrac{4}{10} = \dfrac{36}{100} = 0.36$

10   **11** (   )(◯)(   )

12 6.4, 54   **13** <   **14** 3.6

15 0.14, 0.182   **16** 2.4 km   **17** 0.392

18 ㉠   **19** $8.5 \times 3.4 = 28.9$ / 28.9 cm^2

20 493.8 km

135쪽   스스로 학습장

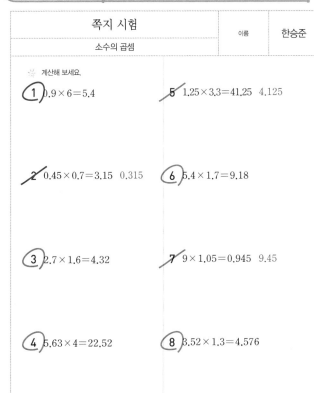

쪽지 시험		이름	한승준
소수의 곱셈			

✽ 계산해 보세요.

① 0.9 × 6 = 5.4

⑤ 1.25 × 3.3 = 41.25   4.125

② 0.45 × 0.7 = 3.15   0.315

⑥ 5.4 × 1.7 = 9.18

③ 2.7 × 1.6 = 4.32

⑦ 9 × 1.05 = 0.945   9.45

④ 5.63 × 4 = 22.52

⑧ 3.52 × 1.3 = 4.576

5. 직육면체

138~139쪽 준비 학습

1 가, 나, 라
2 나, 라
3 직선 나, 직선 라
4 변 ㅂㅁ, 변 ㄹㄷ
5 (1) 예
(2) 예
6 ㉣

141쪽 1 단계 교과서 개념

1 (1) 직사각형에 ○표   (2) 직육면체
2 면, 모서리, 꼭짓점
3 (위부터) 꼭짓점, 면, 모서리

143쪽 1 단계 교과서 개념

1 정육면체
2 ( )( )( )( )(○)
3 (1) 같습니다에 ○표   (2) 직사각형에 ○표
  (3) 있습니다에 ○표

144~145쪽 2 단계 개념 집중 연습

01 ( )(○)   02 (○)( )   03 ( )(○)
04 (왼쪽부터) 면, 모서리, 꼭짓점
05 6개   06 12개
07 8개   08 ○
09 ×   10 ×
11 (○)( )   12 ( )(○)   13 (○)( )
14 3개, 9개, 7개   15 12, 8
16 ○   17 ○   18 ×
19 ○   20 ×

147쪽 1 단계 교과서 개념

1 평행에 ○표   2 수직에 ○표
3 (1) 면 ㅁㅂㅅㅇ   (2) 90°   (3) ㄷㅅㅇㄹ, ㄱㅁㅇㄹ

149쪽 1 단계 교과서 개념

1 (1) 겨냥도   (2) 3, 3   (3) 9, 3
2 ( )(○)( )
3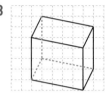
4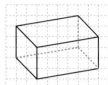

150~151쪽 2 단계 개념 집중 연습

01   02

03

04 면 ㄱㄴㄷㄹ   05 면 ㄹㄷㅅㅇ
06 ( )(○)( )   07 ( )( )(○)
08 면 ㄱㄴㄷㄹ, 면 ㄴㅂㅁㄱ, 면 ㅁㅂㅅㅇ, 면 ㄷㅅㅇㄹ
09 면 ㄴㅂㅅㄷ, 면 ㄷㅅㅇㄹ, 면 ㄱㅁㅇㄹ, 면 ㄴㅂㅁㄱ
10 ×   11 ○   12 ×   13 ×
14 ○   15 ○   16 ×   17 ×
18   19

20

153쪽 1 단계 교과서 개념

1 전개도   2 (1) 면 라   (2) 다, 라
3

155쪽　　1 단계 교과서 개념

1 (　) (　) (○)　　**2** (1) 바, 라, 마　(2) 라, 바

3
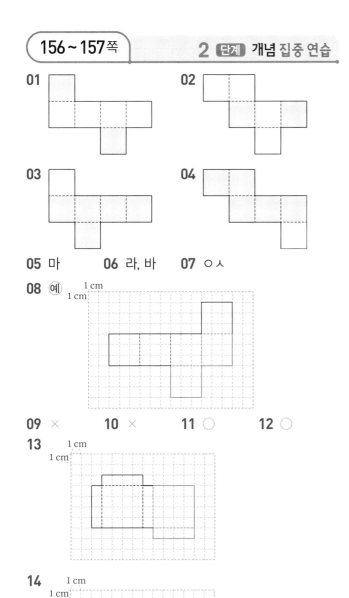

15 예
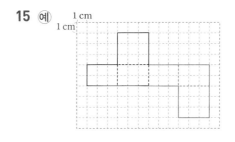

156~157쪽　　2 단계 개념 집중 연습

01　　　　　　**02**

03　　　　　　**04**

05 마　　**06** 라, 바　　**07** ㅇㅅ

08 예

09 ×　　**10** ×　　**11** ○　　**12** ○

13

14

158~161쪽　　3 단계 익힘책 익히기

01 직육면체
02 (　) (○) (　) (○)
03 나, 라
04 가, 다, 마
05 3쌍
06 실선에 ○표, 점선에 ○표
07 다
08 면 ㄱㄴㄷㄹ, 면 ㄴㅂㅅㄷ, 면 ㄷㅅㅇㄹ
09 직각에 ○표
10 수지
11
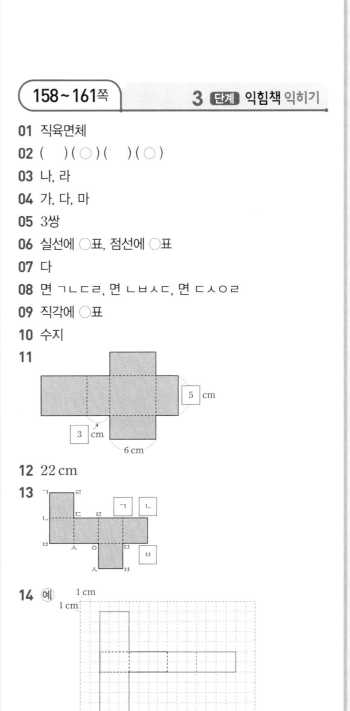

12 22 cm
13

14 예

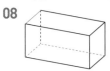

162~164쪽   4 단계 단원 평가

01 ②, ⑤   02 (왼쪽부터) 모서리, 면, 꼭짓점

03 예 정사각형   04 6, 12, 8

05 겨냥도   06 3개   07 3개

08   09

10 ㅁㅂㅅㅇ, ㄴㅂㅅㄷ, ㄴㅂㅁㄱ

11 ㄱㄴㄷㄹ, ㄴㅂㅅㄷ, ㅁㅂㅅㅇ, ㄱㅁㅇㄹ

12 ③   13   14 3 cm

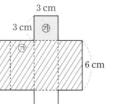

15

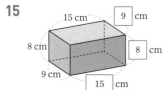

16

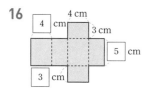

17 ㉡   18 4개   19 60 cm

20 예

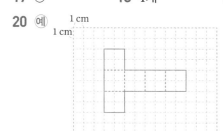

165쪽   스스로 학습장

1 ( )(○)   2 ( )(○)
  ( )(○)   (○)( )

3 ( )( )   4 ( )(○)
  (○)( )   ( )( )

6. 평균과 가능성

168~169쪽   준비 학습

1

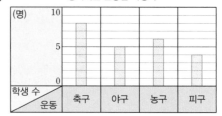

좋아하는 운동별 학생 수

2 축구   3 피구

4 오후 2시   5 낮 12시와 오후 2시 사이

6

식물의 키

171쪽   1 단계 교과서 개념

1 4명, 3명   2 12개, 12개

3 영미네 모둠

4

방법	○표
각 학급의 학생 수 20, 23, 21, 24 중 가장 큰 수인 24로 정합니다.	
각 학급의 학생 수 20, 23, 21, 24 중 가장 작은 수인 20으로 정합니다.	
각 학급의 학생 수 20, 23, 21, 24를 고르게 하면 22, 22, 22, 22가 되므로 22로 정합니다.	○

173쪽   1 단계 교과서 개념

1 5   2 5개

3 82, 336, 84

174~175쪽 2 단계 개념 집중 연습

01 예 21℃

02

방법	○표
오후 2시의 교실의 온도 19, 21, 22, 23, 20 중 가장 작은 수인 19로 정합니다.	
오후 2시의 교실의 온도 19, 21, 22, 23, 20을 고르게 하면 21, 21, 21, 21, 21이 되므로 21로 정합니다.	○
오후 2시의 교실의 온도 19, 21, 22, 23, 20 중 가장 큰 수인 23으로 정합니다.	

03 21℃   **04** 36, 6   **05** 150, 30

06 180, 36   **07** 812, 203   **08** 89

09 850   **10** 31   **11** 13

12 51   **13** 220명   **14** 5개월

15 44명   **16** 160번   **17** 5명

18 32번

177쪽 1 단계 교과서 개념

1 예
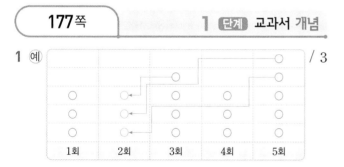
/ 3

2 5, 15, 3

179쪽 1 단계 교과서 개념

1 (1) 15, 75   (2) 15번

2 (1) 25, 5   (2) 5, 20   (3) 2개

180~181쪽 2 단계 개념 집중 연습

01 예

/ 5

02 6, 8, 25, 5

03 30, 40, 30, 30

04 40, 30, 5, 150, 30

05 65   **06** 10 m   **07** 115

08 23명   **09** 4, 104   **10** 7살

11 5, 450   **12** 85점

183쪽 1 단계 교과서 개념

1

   2 (1) (○)   (2) ( )   (3) (○)

3 불가능하다

185쪽 1 단계 교과서 개념

1 ㉢, ㉡, ㉠   **2** 가은, 승기, 윤주

3 (1) ( )
   (2) (○)

187쪽 1 단계 교과서 개념

1 (1) 0   (2) 1   **2** (1) $\frac{1}{2}$ (2) $\frac{1}{2}$

3
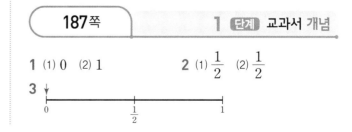

188~189쪽 — 2 단계 개념 집중 연습

01 반반이다에 ◯표   **02** 불가능하다에 ◯표

03 반반이다에 ◯표   **04** 확실하다에 ◯표

05 ㉠   **06** ㉢

07 ㉡   **08** ㉣

09 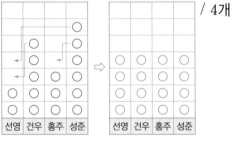   **10** 연우

11 준기   **12** 0

13 1   **14** $\dfrac{1}{2}$

15 $\dfrac{1}{2}$

190~193쪽 — 3 단계 익힘책 익히기

01

방법	◯표
각 학급의 안경을 쓴 학생 수 7, 11, 10, 8, 9 중 가장 큰 수인 11로 정합니다.	
각 학급의 안경을 쓴 학생 수 7, 11, 10, 8, 9 중 가장 작은 수인 7로 정합니다.	
각 학급의 안경을 쓴 학생 수 7, 11, 10, 8, 9를 고르게 하면 9, 9, 9, 9, 9가 되므로 9로 정합니다.	◯

02 9명

03 400, 300, 5, 1500, 300

04 방법1 예 20장 / 20, 20

    방법2 25, 16, 80, 20

05 6개, 7개

06 승희네 모둠

07

일 \ 가능성	불가능 하다	~아닐 것 같다	반반 이다	~일 것 같다	확실 하다
2와 4를 곱하면 10이 될 것입니다.	◯				
내년에는 1월이 3월보다 빨리 올 것입니다.					◯
은행에서 뽑은 대기 번호표의 번호가 짝수일 것입니다.			◯		
1부터 6까지의 눈이 있는 주사위를 굴리면 주사위 눈의 수가 2 이상으로 나올 것입니다.				◯	
동전 4개를 동시에 던지면 4개 모두 그림 면이 나올 것입니다.		◯			

08

09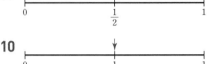

10 (수직선: 화살표 $\dfrac{1}{2}$ 위치)

11 확실하다   **12** 슬기, 준기, 지수   **13** 130명

194~196쪽 — 4 단계 단원 평가

01 평균   **02** 2, 6, 4 / 20, 4

03 355개   **04** 71개

05

			◯	→
	◯	◯		/ 4개
←	◯	← ◯		
←	◯	◯	◯	
←	◯	◯	◯	
	◯	◯	◯	
선영	건우	홍주	성준	

(오른쪽) 선영 ◯◯◯◯ / 건우 ◯◯◯◯ / 홍주 ◯◯◯◯ / 성준 ◯◯◯◯

06 5, 3, 6, 4

07 (선 잇기)   **08** 20초

09 153 cm, 151 cm   **10** 경희네 모둠

11 1   **12** 0   **13** ㉡

14 (수직선: 화살표 $\dfrac{1}{2}$ 위치)

15 ㉡   **16** ㉢, ㉠, ㉡

17 나, 다, 가   **18** 반반이다 / $\dfrac{1}{2}$

19 ㉡   **20** 83점

197쪽 — 스스로 학습장

1 20분   **2** 40분

3 30분   **4** 운동

1. 수의 범위와 어림하기

10~11쪽   준비 학습

1 <

2 (1) 4   (2) 5

3 (1) >   (2) <   (3) <   (4) >

4 ⑩ 약 7 cm, 7 cm   **5** 3

6 215, 216, 217

---

1 수직선에서 수가 오른쪽에 있을수록 더 큰 수이므로 155<159입니다.

2 (1) 성냥개비의 길이는 4 cm에 가깝기 때문에 약 4 cm입니다.

   (2) 머리핀의 길이는 5 cm에 가깝기 때문에 약 5 cm입니다.

3 (1) 25700 > 19200
       └─2>1─┘

   (2) 47010 < 54152
        └─4<5─┘

   (3) 628305 < 697941
         └─2<9─┘

   (4) 724837 > 724834
          └─7>4─┘

5 사물함의 길이는 1 m인 양팔을 벌린 길이의 약 3배이므로 약 3 m입니다.

6 214부터 세 자리 수를 순서대로 쓰면
214 − 215 − 216 − 217 − 218……입니다.
⇨ 214보다 크고 218보다 작은 세 자리 수는 215, 216, 217입니다.

13쪽   1단계 교과서 개념

1 8, 14, 10, 9에 ○표   **2** 9, 3, 5에 ○표

3 4명   **4** 영은, 다솜

1 8 이상인 수는 8과 같거나 큰 수입니다.

2 10 이하인 수는 10과 같거나 작은 수입니다.

   참고

   ★ 이상인 수에는 ★이 포함되고 ● 이하인 수에는 ● 가 포함됩니다.

3 50 m를 달리는 데 걸린 시간이 10초와 같거나 짧은 학생은 예솔(10.0초), 은석(9.5초), 지민(8.8초), 중기(9.0초)로 모두 4명입니다.

4 50 m를 달리는 데 걸린 시간이 11초와 같거나 긴 학생은 영은(11.0초), 다솜(12.2초)입니다.

15쪽   1단계 교과서 개념

1 12, 8, 10에 ○표   **2** 11, 10에 ○표

3 효빈, 슬기, 재준   **4** 2명

1 7 초과인 수는 7보다 큰 수입니다.

2 12 미만인 수는 12보다 작은 수입니다.

   참고

   ▲ 초과인 수에는 ▲가 포함되지 않고 ◆ 미만인 수에는 ◆가 포함되지 않습니다.

3 제자리멀리뛰기 기록이 140 cm보다 짧은 학생은 효빈(135.0 cm), 슬기(135.8 cm), 재준(137.2 cm)입니다.

4 제자리멀리뛰기 기록이 140.8 cm보다 긴 학생은 하늘(143.5 cm), 지후(142.4 cm)로 모두 2명입니다.

16~17쪽 | 2단계 개념 집중 연습

01 35, 25, 43, 28에 ○표

02 53, 51, 60, 43에 ○표

03 32, 17, 25에 △표

04 6, 14, 9에 △표

05 규빈, 은주, 재혁

06 65회, 63회

07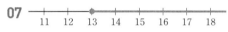

08

09 19, 21, 25에 ○표

10 41, 53, 37에 ○표

11 20, 17, 5에 △표

12 35, 23, 41, 38에 △표

13 128회, 129회

14 2명

15

16

---

05 왕복 오래달리기 기록이 70회와 같거나 많은 학생은 규빈(70회), 은주(74회), 재혁(72회)입니다.

06 왕복 오래달리기 기록이 65회와 같거나 적은 학생은 혜교(65회), 다현(63회)입니다.

07 13 이상인 수는 수직선에 점 ●을 사용하여 나타냅니다.

08 28 이하인 수는 수직선에 점 ●을 사용하여 나타냅니다.

13 줄넘기 횟수가 132회보다 적은 학생은 소연(128회), 은혁(129회)입니다.

14 줄넘기 횟수가 135회보다 많은 학생은 민석(140회), 미소(141회)로 모두 2명입니다.

15 18 초과인 수는 수직선에 점 ○을 사용하여 나타냅니다.

16 32 미만인 수는 수직선에 점 ○을 사용하여 나타냅니다.

19쪽 | 1단계 교과서 개념

1 12, 13, 14, 15, 16에 ○표

2 청장급   3 45 kg 초과 50 kg 이하

4

---

1 12 이상 17 미만인 수는 12와 같거나 크고 17보다 작은 수입니다.

2 석현이는 몸무게가 48 kg이므로 청장급에 속합니다.

3 석현이가 속한 청장급은 45 kg 초과 50 kg 이하입니다.

4 석현이가 속한 체급은 45 초과 50 이하이므로 45 초과인 수는 점 ○을 사용하여 나타내고 50 이하인 수는 점 ●을 사용하여 나타냅니다.

21쪽 | 1단계 교과서 개념

1 (위부터) 260, 300 / 440, 500

2 4.7   3 7.2

4 5000   5 5000원

---

1 253(십의 자리까지) ⇨ 260,
올립니다.
253(백의 자리까지) ⇨ 300,
올립니다.
431(십의 자리까지) ⇨ 440,
올립니다.
431(백의 자리까지) ⇨ 500
올립니다.

2 4.65 ⇨ 4.7
올립니다.

3 7.14 ⇨ 7.2
올립니다.

4 4520 ⇨ 5000
올립니다.

5 1000원짜리 지폐로만 사야 하므로 4520원에서 520원을 1000원으로 생각하면 최소 5000원이 필요합니다.

22~23쪽 · 2단계 개념 집중 연습

01 21, 22, 23, 24에 ◯표

02 35, 36, 37, 38, 39에 ◯표

03 6, 7, 8, 9, 10에 ◯표

04 17, 18, 19, 20에 ◯표

05
```
+--+--+--●--+--+--+--●--+--+
 8  9 10 11 12 13 14 15 16 17
```

06
```
+--+--●--+--+--+--+--●--+--+
18 19 20 21 22 23 24 25 26 27
```

07 39 이상 44 이하인 수

08 32 초과 36 미만인 수

09 8 이상 12 미만인 수

10 260에 ◯표   **11** 330에 ◯표

12 5220에 ◯표   **13** 800에 ◯표

14 4800에 ◯표   **15** 9300에 ◯표

16 5000에 ◯표   **17** 3000에 ◯표

18 7000에 ◯표   **19** 3.71

20 7.04

---

05 11 이상인 수는 점 ●을, 15 미만인 수는 점 ◯을 사용하여 나타내고 두 점 사이를 선으로 잇습니다.

06 20 초과인 수는 점 ◯을, 25 이하인 수는 점 ●을 사용하여 나타내고 두 점 사이를 선으로 잇습니다.

07 점 ●은 이상과 이하를 나타냅니다.

08 점 ◯은 초과와 미만을 나타냅니다.

09 점 ●은 이상과 이하를, 점 ◯은 초과와 미만을 나타냅니다.

10 253 ⇨ 260
올립니다.   **11** 324 ⇨ 330
올립니다.

12 5213 ⇨ 5220
올립니다.   **13** 754 ⇨ 800
올립니다.

14 4752 ⇨ 4800
올립니다.   **15** 9236 ⇨ 9300
올립니다.

16 4237 ⇨ 5000
올립니다.   **17** 2509 ⇨ 3000
올립니다.

18 6034 ⇨ 7000
올립니다.   **19** 3.704 ⇨ 3.71
올립니다.

20 7.035 ⇨ 7.04
올립니다.

25쪽 · 1단계 교과서 개념

1 (위부터) 520, 500 / 650, 600

2 4.8   **3** 6.1

4 740   **5** 740개

---

2 4.804 ⇨ 4.8
버립니다.   **3** 6.134 ⇨ 6.1
버립니다.

4 748 ⇨ 740
버립니다.

5 탁구공 748개를 10개씩 상자에 담아야 하므로 740개는 담을 수 있고 나머지 8개는 상자에 담을 수 없습니다.

27쪽 · 1단계 교과서 개념

1 (위부터) 5200, 5000 / 7700, 8000

2
```
      ↓
+--+--+--+--+--+--+--+--+--+
4280              4290
```

3 4280

4 약 4280걸음

---

1 5204 (백의 자리까지) ⇨ 5200,
버립니다.

   5204 (천의 자리까지) ⇨ 5000,
버립니다.

   7685 (백의 자리까지) ⇨ 7700,
올립니다.

   7685 (천의 자리까지) ⇨ 8000
올립니다.

4 4283걸음은 4280걸음에 더 가까우므로 성훈이는 약 4280걸음을 걸었다고 할 수 있습니다.

29쪽 · 1단계 교과서 개념

1 버림   **2** 8상자   **3** 올림

4 350권   **5** 148, 136, 151

---

1 100개가 안 되면 포장할 수 없으므로 버림해야 합니다.

2 824를 버림하여 백의 자리까지 나타내면 800이므로 사과를 최대 8상자 포장할 수 있습니다.

3 10권씩 묶음으로만 팔므로 올림해야 합니다.

4 348권을 올림하여 십의 자리까지 나타내면 350이므로 공책을 최소 350권 사야 합니다.

5 모아: 147.5 ⇨ 148,   승규: 136.2 ⇨ 136,
     올립니다.   버립니다.
   유리: 151.3 ⇨ 151
     버립니다.

30~31쪽   2단계 개념 집중 연습

01 520에 ○표   **02** 780에 ○표
03 300에 ○표   **04** 6200에 ○표
05 2000에 ○표   **06** 4000에 ○표
07 9.24   **08** 5.41
09 2550에 ○표   **10** 1750에 ○표
11 8210에 ○표   **12** 1700에 ○표
13 2900에 ○표   **14** 5200에 ○표
15 8.3   **16** 3.1
17 7.4   **18** 470, 47
19 1800, 1800   **20** 570, 570

---

01 524 ⇨ 520   **02** 785 ⇨ 780
    버립니다.   버립니다.

03 325 ⇨ 300   **04** 6248 ⇨ 6200
    버립니다.   버립니다.

05 2038 ⇨ 2000   **06** 4352 ⇨ 4000
    버립니다.   버립니다.

07 9.245 ⇨ 9.24   **08** 5.412 ⇨ 5.41
    버립니다.   버립니다.

09 2548 ⇨ 2550   **10** 1754 ⇨ 1750
    올립니다.   버립니다.

11 8205 ⇨ 8210   **12** 1704 ⇨ 1700
    올립니다.   버립니다.

13 2948 ⇨ 2900   **14** 5194 ⇨ 5200
    버립니다.   올립니다.

15 8.335 ⇨ 8.3   **16** 3.072 ⇨ 3.1
    버립니다.   올립니다.

17 7.435 ⇨ 7.4
    버립니다.

32~35쪽   3단계 익힘책 익히기

01 37, 38에 ○표, 32, 33, 34, 35에 △표
02 26, 27, 28에 ○표, 22, 23, 24에 △표
03 13, 14, 15, 16에 ○표
04 (1) 희수, 보람, 민수, 정후
     (2) 46.0 kg, 45.7 kg, 44.0 kg
05 (1) 다연, 예서, 수진   (2) 27권, 32권
06

```
+——+——●——+——+——+——●——+——+——+
 20   21   22   23   24   25   26   27   28
```

07 ㉠, ㉢   **08** 1.3   **09** 5.4
10 (1) 340, <, 400   (2) 2400, >, 2000
11 7810, 7800, 8000
12 3899   **13** 5, 6, 7, 8, 9
14 19000원   **15** 351상자
16 138, 107, 114, 123

---

06 21 이상은 점 ●을, 25 미만은 점 ○을 사용하여 나타내고 두 점 사이를 선으로 잇습니다.

07 ㉠ 63 이상 65 미만인 수: 63과 같거나 크고 65보다 작은 수이므로 63이 포함됩니다.
    ㉡ 63 초과 67 이하인 수: 63보다 크고 67과 같거나 작은 수이므로 63이 포함되지 않습니다.
    ㉢ 62 초과 66 미만인 수: 62보다 크고 66보다 작은 수이므로 63이 포함됩니다.

08 1.23 ⇨ 1.3   **09** 5.436 ⇨ 5.4
    올립니다.   버립니다.

10 (1) 337 ⇨ 340, 318 ⇨ 400
      올립니다.   올립니다.
    (2) 2463 ⇨ 2400, 2954 ⇨ 2000
      버립니다.   버립니다.

11 7814 (십의 자리까지) ⇨ 7810,
     버립니다.
    7814 (백의 자리까지) ⇨ 7800,
     버립니다.
    7814 (천의 자리까지) ⇨ 8000
    올립니다.

12 버림하여 백의 자리까지 나타내면 3800이 되는 자연수는 38□□이고, □□에는 0부터 99까지 들어갈 수 있으므로 이 중 가장 큰 자연수는 3899입니다.

13 415□의 십의 자리 숫자가 5인데 반올림하여 십의 자리까지 나타낸 수 4160의 십의 자리 숫자가 6이므로 일의 자리에서 올려서 나타낸 것입니다.

⇨ 일의 자리에서 올리려면 일의 자리 숫자는 5, 6, 7, 8, 9이어야 합니다.

14 18400을 올림하여 천의 자리까지 나타내면 19000이므로 1000원짜리 지폐로만 책값을 낸다면 최소 19000원을 내야 합니다.

15 3517을 버림하여 십의 자리까지 나타내면 3510이므로 과자는 최대 10봉지씩 351상자를 팔 수 있습니다.

16 혜정: 137.6 ⇨ 138, 승우: 106.5 ⇨ 107,
　　　　 올립니다.　　　　 올립니다.
　　정훈: 114.3 ⇨ 114, 은서: 122.7 ⇨ 123
　　　　 버립니다.　　　　 올립니다.

36~38쪽　　4단계 단원 평가

01 3개

02 27, 31에 ○표, 11, 15, 13에 △표

03 2460　　　　　**04** 7000

05 5000　　　　　**06** 수진, 희준

07 27 이상 32 미만인 수　**08** ④

09 53000, 52000

10
　16　17　18　19　20　21　22　23　24

11
　13　14　15　16　17　18　19　20

12 나　　　　　**13** 25초 이상 30초 미만

14
　24　25　26　27　28　29　30　31　32

15 66　　　　　**16** 1200원, 2400원

17 4000원　　　**18** ㉡

19 7개　　　　**20** 97500

---

07 27을 점 ●으로, 32를 점 ○으로 나타내고 두 점 사이를 선으로 이은 것이므로 27 이상 32 미만인 수를 나타낸 것입니다.

08 ① 289 ⇨ 290　　② 292 ⇨ 290
　　　 올립니다.　　　　 버립니다.
　　③ 285 ⇨ 290　　④ 302 ⇨ 300
　　　 올립니다.　　　　 버립니다.
　　⑤ 305 ⇨ 310
　　　 올립니다.

09　＜올림＞　　　　＜버림＞
　52379 ⇨ 53000　　52379 ⇨ 52000
　올립니다.　　　　 버립니다.

10 20 미만인 수는 수직선에 점 ○을 사용하여 나타내고 왼쪽으로 선을 긋습니다.

11 14 초과인 수는 점 ○을, 19 이하인 수는 점 ●을 사용하여 나타내고 두 점 사이를 선으로 잇습니다.

12 45명보다 많이 탄 버스는 47명이 타고 있는 나 버스입니다.

13 은영이는 26초이므로 25초 이상 30초 미만인 범위에 속합니다.

15 15 이상 19 미만인 자연수는 15, 16, 17, 18입니다.
　⇨ 15+16+17+18=66

17 영진이와 언니가 낸 입장료는
　1200+2400=3600(원)입니다.
　3600을 반올림하여 천의 자리까지 나타내면
　3600 ⇨ 4000이므로 4000원입니다.
　올립니다.

18 ㉠ 73428 ⇨ 73000　㉡ 73562 ⇨ 74000
　　 버립니다.　　　　　 올립니다.
　　㉢ 73080 ⇨ 73000　㉣ 72852 ⇨ 73000
　　 버립니다.　　　　　 올립니다.

19 1 m=100 cm이고 780을 버림하여 백의 자리까지 나타내면 700입니다.
　⇨ 선물을 최대 7개 포장할 수 있습니다.

20 높은 자리에 가장 큰 수부터 차례로 쓰면 가장 큰 수는 97531입니다.
　97531 ⇨ 97500
　버립니다.

39쪽　　스스로 학습장

1 (1) 48, 49, 50, 51, 52　(2) 45, 46, 47, 48
　(3) 47, 48, 49　(4) 47, 48, 49, 50

2 (1) 5100　(2) 5070　(3) 5100　(4) 5000

2. 분수의 곱셈

분수의 곱셈을 통하여 학생들은 곱셈 계산 원리를 스스로 생각하고 일반화하여 논리적으로 탐구할 수 있는 능력을 키울 수 있습니다.

이 단원에서는 (분수)×(자연수), (자연수)×(분수), (진분수)×(진분수)를 통하여 곱셈의 계산 원리를 알아보고 나아가 대분수의 곱셈과 세 분수의 곱셈을 학습합니다.

분수의 곱셈은 분수의 나눗셈과 관련되므로 분수의 곱셈의 의미를 정확히 이해하고 계산할 수 있도록 지도해 주세요.

42~43쪽 　 준비 학습

1 (1) 진 　(2) 가 　(3) 가 　(4) 진

2 (1) $\dfrac{4}{3}$ 　(2) $\dfrac{12}{5}$ 　　　**3** (1) $1\dfrac{1}{6}$ 　(2) $1\dfrac{3}{7}$

4 (1) 3, 4 　(2) 4, 2 　　**5** 3, 21, 41, 1, 17

6 (1) $4\dfrac{17}{20}$ 　(2) $3\dfrac{8}{21}$ 　　**7** (1) $1\dfrac{14}{15}$ 　(2) $1\dfrac{7}{20}$

2 (1) $1\dfrac{1}{3}$ $\begin{cases} 1=\dfrac{3}{3} \\ \dfrac{1}{3} \end{cases}$ $\Rightarrow \dfrac{4}{3}$

(2) $2\dfrac{2}{5}$ $\begin{cases} 2=\dfrac{10}{5} \\ \dfrac{2}{5} \end{cases}$ $\Rightarrow \dfrac{12}{5}$

3 (1) $\dfrac{7}{6}$ $\begin{cases} \dfrac{6}{6}=1 \\ \dfrac{1}{6} \end{cases}$ $\Rightarrow 1\dfrac{1}{6}$

(2) $\dfrac{10}{7}$ $\begin{cases} \dfrac{7}{7}=1 \\ \dfrac{3}{7} \end{cases}$ $\Rightarrow 1\dfrac{3}{7}$

6 (1) $3\dfrac{3}{5}+1\dfrac{1}{4}=3\dfrac{12}{20}+1\dfrac{5}{20}=4+\dfrac{17}{20}=4\dfrac{17}{20}$

(2) $1\dfrac{5}{7}+1\dfrac{2}{3}=1\dfrac{15}{21}+1\dfrac{14}{21}=2+1\dfrac{8}{21}=3\dfrac{8}{21}$

7 (1) $4\dfrac{1}{3}-2\dfrac{2}{5}=4\dfrac{5}{15}-2\dfrac{6}{15}=3\dfrac{20}{15}-2\dfrac{6}{15}=1\dfrac{14}{15}$

(2) $5\dfrac{1}{10}-3\dfrac{3}{4}=5\dfrac{2}{20}-3\dfrac{15}{20}=4\dfrac{22}{20}-3\dfrac{15}{20}=1\dfrac{7}{20}$

45쪽 　 1단계 교과서 개념

1 4, 4, 2

2 방법1 5, 5, 1, 2 　방법2 1, 1, 5, 1, 2

3 $4\dfrac{1}{6}$ 　　　　　　**4** $1\dfrac{1}{8}$

5 $3\dfrac{1}{2}$ 　　　　　　**6** $4\dfrac{4}{5}$

3 $\dfrac{5}{6}\times5=\dfrac{5\times5}{6}=\dfrac{25}{6}=4\dfrac{1}{6}$

4 $\dfrac{3}{8}\times3=\dfrac{3\times3}{8}=\dfrac{9}{8}=1\dfrac{1}{8}$

5 $\dfrac{7}{\underset{2}{18}}\times\overset{1}{9}=\dfrac{7}{2}=3\dfrac{1}{2}$

6 $\dfrac{8}{\underset{5}{15}}\times\overset{3}{9}=\dfrac{24}{5}=4\dfrac{4}{5}$

47쪽 　 1단계 교과서 개념

1 2, 2, $2\dfrac{2}{3}$

2 방법1 9, 9, $\dfrac{9}{2}$, $4\dfrac{1}{2}$ 　방법2 4, 1, 4, 1

3 $6\dfrac{2}{3}$ 　　　　　　**4** $34\dfrac{1}{2}$

5 $4\dfrac{5}{7}$ 　　　　　　**6** $16\dfrac{1}{2}$

3 $1\dfrac{2}{3}\times4=\dfrac{5}{3}\times4=\dfrac{5\times4}{3}=\dfrac{20}{3}=6\dfrac{2}{3}$

4 $2\dfrac{3}{10}\times15=\dfrac{23}{\underset{2}{10}}\times\overset{3}{15}=\dfrac{23\times3}{2}=\dfrac{69}{2}=34\dfrac{1}{2}$

주의

대분수를 가분수로 나타낸 후 약분합니다.

$2\dfrac{3}{\underset{2}{10}}\times\overset{3}{15}\,(\times),\ 2\dfrac{3}{10}\times15=\dfrac{23}{\underset{2}{10}}\times\overset{3}{15}\,(\bigcirc)$

5 $1\dfrac{4}{7}\times3=\dfrac{11}{7}\times3=\dfrac{33}{7}=4\dfrac{5}{7}$

6 $1\dfrac{5}{6}\times9=\dfrac{11}{\cancelto{2}{6}}\times\cancelto{3}{9}=\dfrac{33}{2}=16\dfrac{1}{2}$

49쪽 **1단계 교과서 개념**

1 (1) 예 0 1 2 3 4

(2) 1

2 방법1 15, $7\dfrac{1}{2}$ 방법2 15, 7, 1

3 $1\dfrac{3}{5}$ **4** $2\dfrac{7}{10}$

5 $13\dfrac{1}{3}$ **6** $12\dfrac{1}{2}$

---

3 $4\times\dfrac{2}{5}=\dfrac{4\times2}{5}=\dfrac{8}{5}=1\dfrac{3}{5}$

4 $9\times\dfrac{3}{10}=\dfrac{9\times3}{10}=\dfrac{27}{10}=2\dfrac{7}{10}$

5 $\cancelto{8}{24}\times\dfrac{5}{\cancelto{3}{9}}=\dfrac{8\times5}{3}=\dfrac{40}{3}=13\dfrac{1}{3}$

6 $\cancelto{5}{15}\times\dfrac{5}{\cancelto{2}{6}}=\dfrac{5\times5}{2}=\dfrac{25}{2}=12\dfrac{1}{2}$

50~51쪽 **2단계 개념 집중 연습**

01 $\dfrac{4}{3}$, $1\dfrac{1}{3}$ **02** 3, $\dfrac{3}{2}$, $1\dfrac{1}{2}$

03 방법1 5, $\dfrac{5}{2}$, $2\dfrac{1}{2}$ 방법2 2, $\dfrac{5}{2}$, $2\dfrac{1}{2}$ 방법3 1, $\dfrac{5}{2}$, $2\dfrac{1}{2}$

04 $5\dfrac{5}{6}$ **05** $3\dfrac{1}{2}$ **06** $1\dfrac{3}{5}$

07 3, $\dfrac{44}{3}$, $14\dfrac{2}{3}$

08 2, 14, 1, 14, 1

09 방법1 2, $\dfrac{22}{3}$, $7\dfrac{1}{3}$ 방법2 2, 4, 7, 1

10 $9\dfrac{2}{3}$ **11** $14\dfrac{1}{4}$

12 $67\dfrac{1}{2}$ **13** $\dfrac{8}{9}$

14 2, $\dfrac{7}{2}$, $3\dfrac{1}{2}$ **15** $2\dfrac{2}{3}$

16 10 **17** $1\dfrac{3}{4}$

18 $2\dfrac{1}{4}$

---

04 $\dfrac{5}{6}\times7=\dfrac{5\times7}{6}=\dfrac{35}{6}=5\dfrac{5}{6}$

05 $\dfrac{7}{\cancelto{2}{16}}\times\cancelto{1}{8}=\dfrac{7}{2}=3\dfrac{1}{2}$

06 $\dfrac{8}{\cancelto{5}{15}}\times\cancelto{1}{3}=\dfrac{8}{5}=1\dfrac{3}{5}$

10 $2\dfrac{5}{12}\times4=\dfrac{29}{\cancelto{3}{12}}\times\cancelto{1}{4}=\dfrac{29}{3}=9\dfrac{2}{3}$

11 $1\dfrac{3}{16}\times12=\dfrac{19}{\cancelto{4}{16}}\times\cancelto{3}{12}=\dfrac{57}{4}=14\dfrac{1}{4}$

12 $2\dfrac{7}{10}\times25=\dfrac{27}{\cancelto{2}{10}}\times\cancelto{5}{25}=\dfrac{135}{2}=67\dfrac{1}{2}$

15 $\cancelto{1}{7}\times\dfrac{8}{\cancelto{3}{21}}=\dfrac{8}{3}=2\dfrac{2}{3}$

16 $\cancelto{2}{18}\times\dfrac{5}{\cancelto{1}{9}}=10$

17 $\cancelto{1}{6}\times\dfrac{7}{\cancelto{4}{24}}=\dfrac{7}{4}=1\dfrac{3}{4}$

18 $\cancelto{1}{16}\times\dfrac{9}{\cancelto{4}{64}}=\dfrac{9}{4}=2\dfrac{1}{4}$

53쪽 · 1단계 교과서 개념

1 2, 6

2 방법1 3, 3, 57, 14, 1

　　방법2 6, 3, 9, 2, 1, 14, 1

3 $17\dfrac{1}{2}$　　　　　　**4** 15

5 $10\dfrac{1}{4}$　　　　　　**6** $10\dfrac{1}{2}$

---

3 $15 \times 1\dfrac{1}{6} = \overset{5}{\cancel{15}} \times \dfrac{7}{\underset{2}{\cancel{6}}} = \dfrac{5 \times 7}{2} = \dfrac{35}{2} = 17\dfrac{1}{2}$

4 $6 \times 2\dfrac{1}{2} = \overset{3}{\cancel{6}} \times \dfrac{5}{\underset{1}{\cancel{2}}} = 15$

5 $4 \times 2\dfrac{9}{16} = \overset{1}{\cancel{4}} \times \dfrac{41}{\underset{4}{\cancel{16}}} = \dfrac{41}{4} = 10\dfrac{1}{4}$

6 $8 \times 1\dfrac{5}{16} = \overset{1}{\cancel{8}} \times \dfrac{21}{\underset{2}{\cancel{16}}} = \dfrac{21}{2} = 10\dfrac{1}{2}$

55쪽 · 1단계 교과서 개념

1 4, 3, 12

2 (1) 6, 18　(2) 8, 10, 80

3 $\dfrac{1}{6}$　　　**4** $\dfrac{1}{35}$　　　**5** $\dfrac{1}{72}$

6 $\dfrac{1}{21}$　　　**7** $\dfrac{1}{72}$　　　**8** $\dfrac{1}{143}$

---

3 참고

　(단위분수) × (단위분수)의 분자는 항상 1입니다.

57쪽 · 1단계 교과서 개념

1 2, $\dfrac{1}{10}$

2 (1) 3, $\dfrac{1}{18}$　(2) 3, $\dfrac{\boxed{2} \times 1}{7 \times \boxed{3}}$, $\dfrac{2}{21}$

3 $\dfrac{1}{18}$　　**4** $\dfrac{1}{24}$　　**5** $\dfrac{2}{15}$　　**6** $\dfrac{3}{50}$

---

3 $\dfrac{\overset{1}{\cancel{4}}}{9} \times \dfrac{1}{\underset{2}{\cancel{8}}} = \dfrac{1}{18}$

4 $\dfrac{\overset{1}{\cancel{7}}}{12} \times \dfrac{1}{\underset{2}{\cancel{14}}} = \dfrac{1}{24}$

5 $\dfrac{\overset{2}{\cancel{8}}}{15} \times \dfrac{1}{\underset{1}{\cancel{4}}} = \dfrac{2}{15}$

6 $\dfrac{\overset{3}{\cancel{9}}}{25} \times \dfrac{1}{\underset{2}{\cancel{6}}} = \dfrac{3}{50}$

58~59쪽 · 2단계 개념 집중 연습

01 방법1 3, 39　방법2 3, 3, 39

02 48　　　　　　**03** $30\dfrac{2}{3}$

04 $16\dfrac{1}{2}$　　　　**05** $7\dfrac{2}{3}$

06 28　　　　　　**07** $10\dfrac{1}{2}$

08 7, 63　　　　　**09** 5, 16, 80

10 12, 4, 48　　　　**11** $\dfrac{1}{40}$

12 $\dfrac{1}{66}$　　　　　**13** $\dfrac{1}{96}$

14 3, $\dfrac{1}{48}$　　　**15** 5, $\dfrac{\boxed{1} \times 1}{9 \times \boxed{5}}$, $\dfrac{1}{45}$

16 $\dfrac{1}{24}$　　**17** $\dfrac{3}{28}$　　**18** $\dfrac{2}{45}$

19 $\dfrac{2}{21}$　　**20** $\dfrac{2}{51}$

02 $10 \times 4\frac{4}{5} = \overset{2}{\cancel{10}} \times \frac{24}{\cancel{5}} = 48$

03 $12 \times 2\frac{5}{9} = \overset{4}{\cancel{12}} \times \frac{23}{\cancel{9}} = \frac{92}{3} = 30\frac{2}{3}$

04 $9 \times 1\frac{5}{6} = \overset{3}{\cancel{9}} \times \frac{11}{\cancel{6}} = \frac{33}{2} = 16\frac{1}{2}$

05 $2 \times 3\frac{5}{6} = \overset{1}{\cancel{2}} \times \frac{23}{\cancel{6}} = \frac{23}{3} = 7\frac{2}{3}$

06 $6 \times 4\frac{2}{3} = \overset{2}{\cancel{6}} \times \frac{14}{\cancel{3}} = 28$

07 $8 \times 1\frac{5}{16} = \overset{1}{\cancel{8}} \times \frac{21}{\cancel{16}} = \frac{21}{2} = 10\frac{1}{2}$

11 $\frac{1}{8} \times \frac{1}{5} = \frac{1}{8 \times 5} = \frac{1}{40}$

12 $\frac{1}{6} \times \frac{1}{11} = \frac{1}{6 \times 11} = \frac{1}{66}$

13 $\frac{1}{16} \times \frac{1}{6} = \frac{1}{16 \times 6} = \frac{1}{96}$

16 $\frac{\overset{1}{\cancel{3}}}{8} \times \frac{1}{\cancel{9}} = \frac{1}{24}$

17 $\frac{\overset{3}{\cancel{9}}}{14} \times \frac{1}{\cancel{6}} = \frac{3}{28}$

18 $\frac{\overset{2}{\cancel{14}}}{15} \times \frac{1}{\cancel{21}} = \frac{2}{45}$

19 $\frac{\overset{2}{\cancel{10}}}{21} \times \frac{1}{\cancel{5}} = \frac{2}{21}$

20 $\frac{\overset{2}{\cancel{8}}}{17} \times \frac{1}{\cancel{12}} = \frac{2}{51}$

61쪽 **1** 단계 교과서 개념

1 (1) $\dfrac{\boxed{3} \times 4}{5 \times \boxed{7}}, \dfrac{12}{35}$ (2) $1, \dfrac{5}{18}$

2 $\dfrac{35}{48}$ **3** $\dfrac{9}{35}$

4 $\dfrac{9}{32}$ **5** $\dfrac{7}{36}$

6 방법1 $\dfrac{4}{15}$ 방법2 $\dfrac{1 \times \boxed{2} \times 2}{1 \times 5 \times \boxed{3}}, \dfrac{4}{15}$

---

2 $\dfrac{5}{6} \times \dfrac{7}{8} = \dfrac{5 \times 7}{6 \times 8} = \dfrac{35}{48}$

3 $\dfrac{\overset{3}{\cancel{6}}}{7} \times \dfrac{3}{\underset{5}{\cancel{10}}} = \dfrac{9}{35}$

4 $\dfrac{3}{4} \times \dfrac{3}{8} = \dfrac{3 \times 3}{4 \times 8} = \dfrac{9}{32}$

5 $\dfrac{\overset{1}{\cancel{5}}}{12} \times \dfrac{7}{\underset{3}{\cancel{15}}} = \dfrac{7}{36}$

63쪽 **1** 단계 교과서 개념

1 9, 7, 63, 3, 3
2 3, 24, 3, 3
3 6, 2, 12
4 7, 9, $\dfrac{\boxed{3} \times 9}{\boxed{7} \times 1}, \dfrac{27}{7}, 3, 6$
5 $6\frac{1}{8}$ **6** 20

---

5 $3\frac{1}{2} \times 1\frac{3}{4} = \frac{7}{2} \times \frac{7}{4} = \frac{49}{8} = 6\frac{1}{8}$

6 $3\frac{1}{9} \times 6\frac{3}{7} = \frac{\overset{4}{\cancel{28}}}{\underset{1}{\cancel{9}}} \times \frac{\overset{5}{\cancel{45}}}{\underset{1}{\cancel{7}}} = 20$

64~65쪽 2단계 개념 집중 연습

01 $21, \dfrac{5}{21}$ **02** $3, \dfrac{5}{24}$

03 $5, \dfrac{7}{45}$ **04** $\dfrac{3}{28}$

05 $\dfrac{7}{18}$ **06** $\dfrac{6}{25}$

07 $\dfrac{1}{8}$ **08** $\dfrac{1}{9}$

09 $\dfrac{8}{35}$ **10** $\dfrac{1}{4}$

11 $7, 5, 35, 2, 11$ **12** $3, 11, \dfrac{33}{7}, 4, 5$

13 $2, 1, \dfrac{1 \times \boxed{1} \times 1}{\boxed{2} \times 4 \times 2}, \dfrac{1}{16}$ **14** $3\dfrac{3}{8}$

15 $7\dfrac{1}{7}$ **16** $9\dfrac{1}{3}$

17 $7\dfrac{1}{2}$ **18** 4

19 $\dfrac{3}{10}$ **20** $3\dfrac{1}{2}$

---

04 $\dfrac{\overset{1}{\cancel{9}}}{14} \times \dfrac{3}{\underset{2}{\cancel{18}}} = \dfrac{3}{28}$

05 $\dfrac{\overset{1}{\cancel{5}}}{6} \times \dfrac{7}{\underset{3}{\cancel{15}}} = \dfrac{7}{18}$

06 $\dfrac{3}{\underset{1}{\cancel{7}}} \times \dfrac{\overset{2}{\cancel{14}}}{25} = \dfrac{6}{25}$

07 $\dfrac{\overset{1}{\cancel{3}}}{\underset{4}{\cancel{16}}} \times \dfrac{\overset{1}{\cancel{4}}}{\underset{1}{\cancel{5}}} \times \dfrac{\overset{1}{\cancel{5}}}{\underset{2}{\cancel{6}}} = \dfrac{1}{8}$

08 $\dfrac{\overset{1}{\cancel{7}}}{\underset{3}{\cancel{12}}} \times \dfrac{\overset{1}{\cancel{5}}}{\underset{3}{\cancel{21}}} \times \dfrac{\overset{1}{\cancel{4}}}{\underset{1}{\cancel{5}}} = \dfrac{1}{9}$

09 $\dfrac{8}{\underset{5}{\cancel{25}}} \times \dfrac{\overset{1}{\cancel{5}}}{7} = \dfrac{8}{35}$

10 $\dfrac{\overset{1}{\cancel{3}}}{\underset{1}{\cancel{5}}} \times \dfrac{\overset{1}{\cancel{5}}}{\underset{4}{\cancel{12}}} = \dfrac{1}{4}$

14 $2\dfrac{1}{4} \times 1\dfrac{1}{2} = \dfrac{9}{4} \times \dfrac{3}{2} = \dfrac{27}{8} = 3\dfrac{3}{8}$

15 $4\dfrac{1}{6} \times 1\dfrac{5}{7} = \dfrac{25}{\underset{1}{\cancel{6}}} \times \dfrac{\overset{2}{\cancel{12}}}{7} = \dfrac{50}{7} = 7\dfrac{1}{7}$

16 $5\dfrac{1}{3} \times 1\dfrac{3}{4} = \dfrac{16}{3} \times \dfrac{7}{\underset{1}{\cancel{4}}}^{\overset{4}{}} = \dfrac{28}{3} = 9\dfrac{1}{3}$

17 $2\dfrac{1}{12} \times 3\dfrac{3}{5} = \dfrac{\overset{5}{\cancel{25}}}{\underset{2}{\cancel{12}}} \times \dfrac{\overset{3}{\cancel{18}}}{\underset{1}{\cancel{5}}} = \dfrac{15}{2} = 7\dfrac{1}{2}$

18 $1\dfrac{3}{7} \times 2\dfrac{4}{5} = \dfrac{\overset{2}{\cancel{10}}}{\underset{1}{\cancel{7}}} \times \dfrac{\overset{2}{\cancel{14}}}{\underset{1}{\cancel{5}}} = 4$

19 $\dfrac{3}{7} \times \dfrac{3}{5} \times 1\dfrac{1}{6} = \dfrac{3}{\underset{1}{\cancel{7}}} \times \dfrac{3}{5} \times \dfrac{\overset{1}{\cancel{7}}}{\underset{2}{\cancel{6}}} = \dfrac{3}{10}$

20 $5 \times 2\dfrac{1}{3} \times \dfrac{3}{10} = \dfrac{\overset{1}{\cancel{5}}}{1} \times \dfrac{7}{\underset{1}{\cancel{3}}} \times \dfrac{\overset{1}{\cancel{3}}}{\underset{2}{\cancel{10}}} = \dfrac{7}{2} = 3\dfrac{1}{2}$

66~69쪽 3단계 익힘책 익히기

01 $4, 8, 2, 2$ **02** $\dfrac{3 \times \boxed{3}}{5 \times \boxed{4}}, \dfrac{9}{20}$

03 (1) $8, 72$ (2) $12, \dfrac{5}{84}$

04 방법1 $9, \dfrac{9}{2}, 4\dfrac{1}{2}$ 방법2 $2, \dfrac{9}{2}, 4\dfrac{1}{2}$

방법3 $3, \dfrac{9}{2}, 4\dfrac{1}{2}$

05 (1) $\dfrac{1}{15}$ (2) $\dfrac{3}{35}$ (3) $\dfrac{4}{9}$ (4) $\dfrac{18}{25}$ (5) $2\dfrac{5}{8}$ (6) $3\dfrac{3}{14}$

06 (1) $5, 5, \dfrac{20}{7}, 2\dfrac{6}{7}$ (2) $3, 3, \dfrac{15}{8}, 1\dfrac{7}{8}$

07 (그림) **08** $3 \times 1\dfrac{1}{4}, 3 \times 2\dfrac{5}{9}$에 ○표,

$3 \times \dfrac{1}{5}$에 △표

09 (1) $>$ (2) $=$

10 $\dfrac{1}{6} \times \boxed{5} = \dfrac{\boxed{5}}{6}$ / $\dfrac{5}{6}$ L

11 $24 \times \dfrac{\boxed{3}}{8} = \boxed{9}$ / 9장

12 $\dfrac{1}{\boxed{7}} \times \dfrac{1}{\boxed{8}}$ 또는 $\dfrac{1}{\boxed{8}} \times \dfrac{1}{\boxed{7}}$

---

02 $\dfrac{3}{5} \times \dfrac{3}{4}$ 은 분자는 분자끼리, 분모는 분모끼리 곱합니다.

05 (3) $\dfrac{\overset{1}{\cancel{3}}}{9} \times \dfrac{4}{\underset{1}{\cancel{3}}} = \dfrac{4}{9}$

(4) $\dfrac{6}{\underset{1}{\cancel{7}}} \times \dfrac{\overset{3}{\cancel{21}}}{25} = \dfrac{18}{25}$

(5) $1\dfrac{7}{8} \times 1\dfrac{2}{5} = \dfrac{15}{8} \times \dfrac{7}{\underset{1}{\cancel{5}}}^{\,3} = \dfrac{21}{8} = 2\dfrac{5}{8}$

(6) $1\dfrac{3}{7} \times 2\dfrac{1}{4} = \dfrac{\overset{5}{\cancel{10}}}{7} \times \dfrac{9}{\underset{2}{\cancel{4}}} = \dfrac{45}{14} = 3\dfrac{3}{14}$

07 $7 \times \dfrac{3}{4}$ 에서 자연수와 분수를 곱하기 때문에 $\dfrac{3}{4} \times 7$ 과 계산 결과가 같습니다.

$1\dfrac{4}{5} \times 10 = \dfrac{9}{\underset{1}{\cancel{5}}} \times \cancel{10}^{\,2} = 18$ 이고 $10 \times 1\dfrac{4}{5} = \cancel{10}^{\,2} \times \dfrac{9}{\underset{1}{\cancel{5}}} = 18$ 로 곱하는 순서를 바꾸어도 계산 결과가 같습니다.

$1\dfrac{7}{8} \times 12$ 를 가분수로 나타내어 $\dfrac{15}{8} \times 12$ 로 계산할 수 있으며 $\dfrac{15}{8} \times 12$ 와 $12 \times \dfrac{15}{8}$ 는 계산 결과가 같습니다.

08 $3 \times \dfrac{1}{5} = \dfrac{3}{5}$ (3보다 작습니다.)

$3 \times 1\dfrac{1}{4} = 3 \times \dfrac{5}{4} = \dfrac{15}{4} = 3\dfrac{3}{4}$ (3보다 큽니다.)

$3 \times 2\dfrac{5}{9} = \overset{1}{\cancel{3}} \times \dfrac{23}{\underset{3}{\cancel{9}}} = \dfrac{23}{3} = 7\dfrac{2}{3}$ (3보다 큽니다.)

> **참고**
> 3에 1보다 작은 수를 곱하면 계산 결과가 3보다 작고, 3에 1보다 큰 수를 곱하면 계산 결과가 3보다 큽니다.

09 (1) $\dfrac{3}{5} \times \dfrac{1}{7} = \dfrac{3}{35}$, $\dfrac{3}{5} \times \dfrac{1}{8} = \dfrac{3}{40}$

$\Rightarrow \dfrac{3}{35} > \dfrac{3}{40}$

(2) $\dfrac{1}{8} \times \dfrac{5}{9} = \dfrac{5}{72}$, $\dfrac{5}{9} \times \dfrac{1}{8} = \dfrac{5}{72}$

10 $\dfrac{1}{6} \times 5 = \dfrac{1 \times 5}{6} = \dfrac{5}{6}$ (L)

11 $\overset{3}{\cancel{24}} \times \dfrac{3}{\underset{1}{\cancel{8}}} = 9$(장)

12 $\dfrac{1}{\Box} \times \dfrac{1}{\Box}$ 에서 분모에 큰 수가 들어갈수록 계산 결과가 작아집니다.

$\Rightarrow$ 두 장의 카드를 사용하여 계산 결과가 가장 작은 식을 만들려면 수 카드 7과 8을 사용해야 합니다.

70~72쪽   4 단계 단원 평가

01 2, 2, 4, 1, 1

02 $\dfrac{2 \times \boxed{3}}{5 \times \boxed{4}}$, 6, 3

03 6, 54

04 4, 4, 8, 4, 8

05 ㉣

06 9

07 $13\dfrac{1}{5}$

08 $6\dfrac{2}{5}$

09 $12 \times 3\dfrac{3}{8} = \overset{3}{\cancel{12}} \times \dfrac{27}{\underset{2}{\cancel{8}}} = \dfrac{81}{2} = 40\dfrac{1}{2}$

10 서윤

11

12 $<$

13 $5\dfrac{1}{3}$

14 $\dfrac{5}{8}$

15 $\dfrac{2}{5} \times \dfrac{5}{6}$ 에 ◯표

16 12 cm^2

17 민석

18 2, 3, 4

19 $6 \times \dfrac{4}{5} = 4\dfrac{4}{5}$ / $4\dfrac{4}{5}$ m

20 $\dfrac{3}{5} \times \dfrac{1}{4} = \dfrac{3}{20}$ / $\dfrac{3}{20}$

03 단위분수끼리의 곱에서 분자는 항상 1이고, 분모끼리 곱합니다.

05 $\dfrac{2}{7} \times 3 = \dfrac{2}{7} + \dfrac{2}{7} + \dfrac{2}{7} = \dfrac{2 \times 3}{7} = \dfrac{6}{7}$

06 $\overset{3}{\cancel{12}} \times \dfrac{3}{\cancel{4}} = 9$

07 $2\dfrac{3}{4} \times 4\dfrac{4}{5} = \dfrac{11}{\cancel{4}} \times \dfrac{\overset{6}{\cancel{24}}}{5} = \dfrac{66}{5} = 13\dfrac{1}{5}$

08 $4 \times 1\dfrac{3}{5} = 4 \times \dfrac{8}{5} = \dfrac{32}{5} = 6\dfrac{2}{5}$

09 대분수를 가분수로 나타내고 계산 중간 과정에서 약분하여 계산합니다.

10 서윤: $\dfrac{\overset{1}{\cancel{3}}}{10} \times \dfrac{1}{\cancel{9}} = \dfrac{1}{30}$

　　지호: $\dfrac{\overset{1}{\cancel{5}}}{8} \times \dfrac{7}{\cancel{15}} = \dfrac{7}{24}$

11 $\overset{3}{\cancel{6}} \times \dfrac{7}{\cancel{10}} = \dfrac{21}{5} = 4\dfrac{1}{5}$,

　　$\overset{3}{\cancel{24}} \times \dfrac{7}{\cancel{16}} = \dfrac{21}{2} = 10\dfrac{1}{2}$

12 $3\dfrac{1}{2} \times 12 = \dfrac{7}{\cancel{2}} \times \overset{6}{\cancel{12}} = 42$,

　　$8\dfrac{2}{3} \times 5 = \dfrac{26}{3} \times 5 = \dfrac{130}{3} = 43\dfrac{1}{3}$

　　$\Rightarrow 42 < 43\dfrac{1}{3}$

13 $3\dfrac{5}{9} > 2\dfrac{3}{4} > 1\dfrac{1}{2}$

　　$\Rightarrow 3\dfrac{5}{9} \times 1\dfrac{1}{2} = \dfrac{\overset{16}{\cancel{32}}}{\cancel{9}} \times \dfrac{\overset{1}{\cancel{3}}}{\cancel{2}} = \dfrac{16}{3} = 5\dfrac{1}{3}$

14 $3\dfrac{3}{4} \times \dfrac{5}{6} \times \dfrac{1}{5} = \dfrac{15}{4} \times \dfrac{\overset{5}{\cancel{5}}}{\cancel{6}} \times \dfrac{1}{\cancel{5}} = \dfrac{5}{8}$

15 $\dfrac{2}{5}$에 1보다 작은 수를 곱한 것을 찾습니다.

---

16 (직사각형의 넓이) = (가로) × (세로)

　　$= 4\dfrac{2}{7} \times 2\dfrac{4}{5}$

　　$= \dfrac{\overset{6}{\cancel{30}}}{7} \times \dfrac{\overset{2}{\cancel{14}}}{\cancel{5}} = 12 \,(\text{cm}^2)$

17 지영: $\dfrac{1}{15}$, 민석: $\dfrac{1}{12}$, 여진: $\dfrac{1}{14}$, 정수: $\dfrac{1}{18}$

　　$\Rightarrow \dfrac{1}{12} > \dfrac{1}{14} > \dfrac{1}{15} > \dfrac{1}{18}$

18 단위분수는 분모가 작을수록 큰 분수입니다.

　　$\Rightarrow 8 \times \square < 40$이어야 하므로 $\square$ 안에는 2, 3, 4가 들어갈 수 있습니다.

19 $6 \times \dfrac{4}{5} = \dfrac{6 \times 4}{5} = \dfrac{24}{5} = 4\dfrac{4}{5}$ (m)

20 $\dfrac{3}{5} \times \dfrac{1}{4} = \dfrac{3 \times 1}{5 \times 4} = \dfrac{3}{20}$

73쪽　　　　스스로 학습장

쪽지 시험		이름	수지
분수의 곱셈			

✻ 계산해 보세요.

① $\dfrac{2}{5} \times 2 = \dfrac{4}{5}$　　⑤ $18 \times \dfrac{5}{9} = 10$

② $\dfrac{8}{15} \times 5 = \dfrac{8}{75}\ 2\dfrac{2}{3}$　　⑥ $\dfrac{1}{9} \times \dfrac{2}{3} = \dfrac{2}{27}$

③ $1\dfrac{3}{5} \times 6 = 9\dfrac{3}{5}$　　⑦ $1\dfrac{2}{3} \times 2\dfrac{4}{5} = 2\dfrac{2}{3}\ 4\dfrac{2}{3}$

④ $12 \times 1\dfrac{3}{4} = 12\ 21$　　⑧ $\dfrac{3}{7} \times \dfrac{2}{3} \times \dfrac{1}{5} = \dfrac{2}{35}$

3. 합동과 대칭

학부모 지도 가이드

합동과 대칭은 일상생활에서 쉽게 접할 수 있으며 합동과 대칭의 학습을 통해 실생활에서 수학의 유용성을 확인할 수 있습니다.
이 단원에서는 도형을 직접 대어보고 겹쳐 보는 활동을 통해 합동의 기초 개념을 형성하고 합동의 개념으로부터 선대칭도형과 점대칭도형의 기본개념과 원리를 학습합니다.
도형의 대칭은 이후 직육면체, 각기둥과 각뿔을 배우는 데 기본이 되므로 학생들이 합동과 대칭의 개념과 원리에 대해 정확하게 이해하여 공간 감각이 잘 형성될 수 있도록 지도해 주세요.

76~77쪽   준비 학습

1 (1) 130   (2) 60   **2** 30

3 110   **4** 가, 다, 라, 마 / 다, 마

5

6

1 (1) 각의 한 변이 바깥쪽 눈금 0에 맞춰져 있으므로 바깥쪽 눈금을 읽으면 130°입니다.

    (2) 각의 한 변이 안쪽 눈금 0에 맞춰져 있으므로 안쪽 눈금을 읽으면 60°입니다.

2 $70°+\square°+80°=180°$,
   $\square°=180°-70°-80°=30°$

3 $70°+\square°+90°+90°=360°$,
   $\square°=360°-90°-90°-70°=110°$

5 도형을 오른쪽으로 밀면 모양은 변하지 않고 위치만 바뀝니다.

6 도형을 오른쪽으로 뒤집으면 왼쪽과 오른쪽이 서로 바뀝니다.
뒤집은 도형을 시계 방향으로 180°만큼 돌리면 위쪽 부분이 아래쪽으로 왼쪽 부분이 오른쪽으로 이동합니다.

79쪽   1단계 교과서 개념

1

2

3 사, 자, 차

1 왼쪽 도형과 모양과 크기가 같은 도형을 찾습니다.

2 **참고**
> 돌려서 포개었을 때 완전히 겹치는 두 도형도 서로 합동입니다.

3 먼저 모양이 같은 도형을 찾은 다음 크기가 같은 도형을 찾습니다.

81쪽   1단계 교과서 개념

1 (1) 점 ㅁ   (2) 변 ㅁㅂ   (3) 각 ㅁㅂㄹ

2 9 cm   **3** 80°

1 (1) 점 ㄴ의 대응점 ⇨ 점 ㅁ
   (2) 변 ㄴㄷ의 대응변 ⇨ 변 ㅁㅂ
   (3) 각 ㄴㄷㄱ의 대응각 ⇨ 각 ㅁㅂㄹ

2 변 ㄴㄷ의 대응변이 변 ㅅㅂ이므로
(변 ㄴㄷ)=(변 ㅅㅂ)=9 cm입니다.

3 각 ㅂㅁㅇ의 대응각이 각 ㄷㄹㄱ이므로
(각 ㅂㅁㅇ)=(각 ㄷㄹㄱ)=80°입니다.

82~83쪽 **2단계 개념 집중 연습**

01 ( )(○) **02** (○)( )
03 ( )(○) **04** (○)( )
05 ( )(○)

06 예   **07** 예

08 점 ㄹ   **09** 변 ㄹㅁ
10 각 ㄹㅂㅁ   **11** 점 ㅂ
12 변 ㅇㅁ   **13** 5 cm
14 8 cm   **15** 110°
16 80, 7   **17** 11, 40
18 9, 60

19
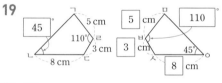

20 25

01~05 모양과 크기가 같아서 포개었을 때 완전히 겹치는 도형을 찾습니다.

06~07 주어진 도형과 포개었을 때 완전히 겹치도록 그립니다.

08 두 삼각형을 포개었을 때 점 ㄱ과 겹치는 점은 점 ㄹ입니다.

09 두 삼각형을 포개었을 때 변 ㄱㄷ과 겹치는 변은 변 ㄹㅁ입니다.

10 두 삼각형을 포개었을 때 각 ㄱㄴㄷ과 겹치는 각은 각 ㄹㅂㅁ입니다.

11 두 사각형을 포개었을 때 점 ㄷ과 겹치는 점은 점 ㅂ입니다.

12 두 사각형을 포개었을 때 변 ㄱㄹ과 겹치는 변은 변 ㅇㅁ입니다.

13 (변 ㅁㅂ)=(변 ㄹㄷ)=5 cm

14 (변 ㅇㅅ)=(변 ㄱㄴ)=8 cm

15 (각 ㅇㅁㅂ)=(각 ㄱㄹㄷ)=110°

16 변 ㅁㅂ의 대응변은 변 ㄴㄷ이고, 각 ㅁㄹㅂ의 대응각은 각 ㄴㄱㄷ입니다.

17 변 ㄹㅁ의 대응변은 변 ㄴㄷ이고, 각 ㄹㅁㅂ의 대응각은 각 ㄴㄷㄱ입니다.

18 변 ㄴㄷ의 대응변은 변 ㅅㅂ이고, 각 ㅁㅂㅅ의 대응각은 각 ㄹㄷㄴ입니다.

19 변 ㅁㅂ의 대응변은 변 ㄱㄹ, 변 ㅂㅅ의 대응변은 변 ㄹㄷ이고, 변 ㅅㅇ의 대응변은 변 ㄷㄴ입니다.
각 ㄱㄴㄷ의 대응각은 각 ㅁㅇㅅ이고, 각 ㅁㅂㅅ의 대응각은 각 ㄱㄹㄷ입니다.

20 각 ㄹㅁㅂ의 대응각은 각 ㄴㄱㄷ이므로
(각 ㄹㅁㅂ)=(각 ㄴㄱㄷ)
$=180°-(120°+35°)=25°$

85쪽 **1단계 교과서 개념**

1 다, 라

2   **3**

4 (1) 점 ㄹ (2) 변 ㄷㅂ (3) 각 ㄹㄷㅂ

---

1 한 직선을 따라 접어서 완전히 겹치는 도형을 모두 찾습니다.

2 도형에서 한 직선을 따라 접었을 때 완전히 겹치도록 하는 직선을 그립니다.

> **참고**
> 선대칭도형의 대칭축은 여러 개일 수 있습니다.

87쪽

1단계 교과서 개념

1 (1), (2)

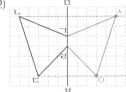

2

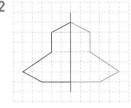

3

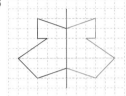

4

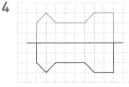

1 (1), (2)

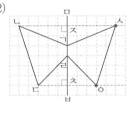

점 ㄴ과 점 ㄷ에서 대칭축에 수선을 그어 대칭축과 만나는 점을 각각 점 ㅈ, 점 ㅊ이라 하고 이 수선에 선분 ㄴㅈ과 길이가 같은 선분 ㅅㅈ이 되도록 점 ㄴ의 대응점인 점 ㅅ을, 선분 ㄷㅊ과 길이가 같은 선분 ㅇㅊ이 되도록 점 ㄷ의 대응점인 점 ㅇ을 표시한 후 차례로 이어 선대칭도형을 완성합니다.

2 대응점을 찾아 표시한 후 차례로 이어 선대칭도형을 완성합니다.

> **참고**
> 선대칭도형에서 대응점은 대칭축을 중심으로 반대 방향에 같은 거리만큼 떨어진 곳에 있습니다.

88~89 쪽

2단계 개념 집중 연습

01 ( ) (○) ( ) **02** (○) ( ) ( )

03  **04**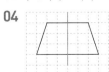

05 점 ㄷ **06** 변 ㄹㄷ

07 각 ㄹㄷㅂ **08** 5 cm

09 55° **10** 7

11 85, 8 **12** 8, 65

13 (위부터) 50, 3, 5

14 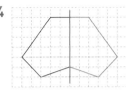 **15**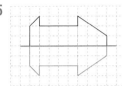

16 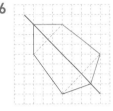 **17**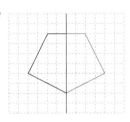

01~02 한 직선을 따라 접어서 완전히 겹치는 도형을 찾습니다.

05 대칭축을 따라 포개었을 때 점 ㄴ과 겹치는 점은 점 ㄷ입니다.

06 대칭축을 따라 포개었을 때 변 ㄱㄴ과 겹치는 변은 변 ㄹㄷ입니다.

07 대칭축을 따라 포개었을 때 각 ㄱㄴㅂ과 겹치는 각은 각 ㄹㄷㅂ입니다.

08 (변 ㄹㅁ)=(변 ㄷㄴ)=5 cm

09 (각 ㄴㄷㅇ)=(각 ㅁㄹㅇ)=55°

10 선대칭도형에서 각각의 대응변의 길이는 서로 같습니다.

11 선대칭도형에서 각각의 대응변의 길이는 서로 같고, 각각의 대응각의 크기도 서로 같습니다.

12 선대칭도형에서 각각의 대응각의 크기는 서로 같고, 각각의 대응점에서 대칭축까지의 거리가 서로 같습니다.

13 선대칭도형에서 대칭축은 대응점끼리 이은 선분을 둘로 똑같이 나눕니다.

14~17 대응점을 찾아 표시한 후 차례로 이어 선대칭도형을 완성합니다.

91쪽
1단계 교과서 개념

1 다, 라

2 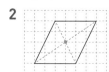 **3**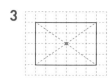

4 (1) 점 ㄹ (2) 변 ㄹㄱ (3) 각 ㄷㄹㄱ

---

2 대응점끼리 이은 선분이 만나는 점을 찾아 표시합니다.

4 (1) 점 ㅇ을 중심으로 180° 돌렸을 때 점 ㄴ과 겹치는 점은 점 ㄹ입니다.

(2) 점 ㅇ을 중심으로 180° 돌렸을 때 변 ㄴㄷ과 겹치는 변은 변 ㄹㄱ입니다.

(3) 점 ㅇ을 중심으로 180° 돌렸을 때 각 ㄱㄴㄷ과 겹치는 각은 각 ㄷㄹㄱ입니다.

93쪽
1단계 교과서 개념

1 (1), (2)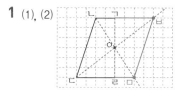

2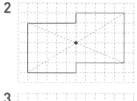

3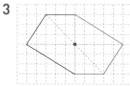

4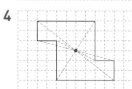

1 (1) 점 ㄴ, 점 ㄷ에서 각각 대칭의 중심을 지나는 직선을 그은 다음 선분 ㄴㅇ과 길이가 같은 선분 ㅁㅇ, 선분 ㄷㅇ과 길이가 같은 선분 ㅂㅇ이 되도록 대응점을 찾습니다.

2 각 점에서 대칭의 중심까지의 길이가 같도록 대응점을 찾아 표시한 후 차례로 이어 점대칭도형을 완성합니다.

94~95 쪽
2단계 개념 집중 연습

01 ( )( )(○) **02** ( )( )(○)

03 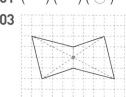 **04**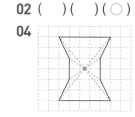

05 점 ㅂ **06** 변 ㄴㄱ

07 각 ㄹㅁㅂ **08** 8 cm

09 123°

10 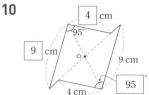 **11**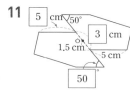

12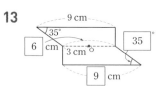

13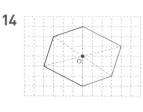

14 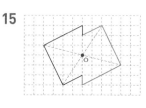 **15**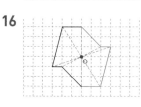

16 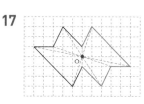 **17**

01~02 한 점을 중심으로 180° 돌렸을 때 처음 도형과 완전히 겹치는 도형을 찾습니다.

03~04 대응점끼리 이은 선분이 만나는 점을 찾아 표시합니다.

05 점 ㅇ을 중심으로 180° 돌렸을 때 점 ㄷ과 겹치는 점은 점 ㅂ입니다.

06 점 ㅇ을 중심으로 180° 돌렸을 때 변 ㅁㄹ과 겹치는 변은 변 ㄴㄱ입니다.

07 점 ㅇ을 중심으로 180° 돌렸을 때 각 ㄱㄴㄷ과 겹치는 각은 각 ㄹㅁㅂ입니다.

08 (변 ㄴㄷ)=(변 ㅁㅂ)=8 cm

09 (각 ㄴㄷㄹ)=(각 ㅁㅂㄱ)=123°

10 점 ㅇ을 중심으로 180° 돌렸을 때, 겹치는 변과 겹치는 각을 각각 찾습니다.

11 대응점에서 대칭의 중심까지의 거리가 서로 같습니다.

14~17 대응점을 찾아 표시한 후 차례로 이어 점대칭도형을 완성합니다.

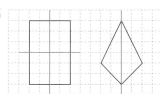

96~99쪽 3단계 익힘책 익히기

01 나
02 ( )(○)( )
03 ( )( )(○)(○)
04 (○)(○)( )( )
05

06 예

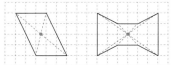

08 (1) 점 ㅁ (2) 변 ㅁㅂ (3) 각 ㅂㄹㅁ
09 (1) 5 cm (2) 105° (3) 40 cm
10 (1) 점 ㅂ (2) 변 ㅂㅁ (3) 각 ㅅㅂㅁ
11 (1) 변 ㄹㅁ (2) 각 ㅁㅂㄱ
12 110, 9

---

02 포개었을 때 완전히 겹치는 도형을 찾습니다.

03 한 직선을 따라 접어서 완전히 겹치는 도형을 모두 찾습니다.

04 어떤 점을 중심으로 180° 돌렸을 때 처음 도형과 완전히 겹치는 도형을 모두 찾습니다.

06 주어진 도형과 포개었을 때 완전히 겹치도록 그립니다.

08 (1) 두 삼각형을 포개었을 때 점 ㄴ과 점 ㅁ이 겹칩니다.
　(2) 두 삼각형을 포개었을 때 변 ㄴㄷ과 변 ㅁㅂ이 겹칩니다.
　(3) 두 삼각형을 포개었을 때 각 ㄷㄱㄴ과 각 ㅂㄹㅁ이 겹칩니다.

09 (1) (변 ㅇㅅ)=(변 ㄱㄴ)=5 cm
　(2) (각 ㄷㄹㄱ)=(각 ㅂㅁㅇ)=105°
　(3) (변 ㄴㄷ)=(변 ㅅㅂ)=14 cm,
　　(변 ㄷㄹ)=(변 ㅂㅁ)=13 cm
　⇨ (사각형 ㄱㄴㄷㄹ의 둘레)
　　=5+14+13+8
　　=40 (cm)

10 (1) 대칭축을 따라 포개었을 때 점 ㄹ과 점 ㅂ이 겹칩니다.
　(2) 대칭축을 따라 포개었을 때 변 ㄹㅁ과 변 ㅂㅁ이 겹칩니다.
　(3) 대칭축을 따라 포개었을 때 각 ㄷㄹㅁ과 각 ㅅㅂㅁ이 겹칩니다.

12 선대칭도형에서 각각의 대응변의 길이가 서로 같고, 각각의 대응각의 크기가 서로 같습니다.

정답및 풀이

100~102쪽 ④단계 단원 평가

01 라
02 가, 나, 다, 마
03 가, 다, 라, 마
04 가, 다, 마
05 2개
06 8
07 ④
08 점 ㄱ
09 점 ㅇ, 변 ㅅㅂ, 각 ㅂㅁㅇ
10 6 cm
11 40°
12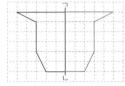
13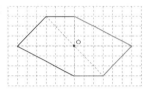
14 ㉢
15 100, 2
16 (왼쪽부터) 7, 120
17 40°
18 33 cm
19 56 cm²
20 16 cm

---

01 도형 가와 모양과 크기가 같은 도형을 찾습니다.

02 한 직선을 따라 접었을 때 완전히 겹치는 도형을 찾습니다.

03 한 점을 중심으로 180° 돌렸을 때 처음 도형과 완전히 겹치는 도형을 모두 찾습니다.

04 가, 다, 마는 선대칭도형이면서 점대칭도형이기도 합니다.

05 선대칭도형에서 대칭축이 여러 개 있을 수도 있습니다.

06 서로 합동인 삼각형에서 각각의 대응변의 길이는 서로 같습니다.

07 ① 3개 ② 4개 ③ 1개 ④ 8개 ⑤ 4개

08 점 ㄱ을 중심으로 180° 돌렸을 때 처음 도형과 완전히 겹칩니다.

09 두 도형을 포개었을 때 겹치는 점, 겹치는 변, 겹치는 각을 각각 찾습니다.

10 (변 ㅁㅂ)=(변 ㄷㄴ)=6 cm

11 (각 ㄹㅁㅂ)=(각 ㄱㄷㄴ)=40°

12 각 점에서 대칭축에 수선을 그어, 각 점과 대칭축 사이의 같은 거리만큼 떨어진 곳에 대응점을 찍은 후 차례로 잇습니다.

13 각 점에서 대칭의 중심까지의 길이가 같도록 대응점을 찍은 후 차례로 이어 점대칭도형을 완성합니다.

14 ㉢ 점대칭도형에서 대칭의 중심은 1개입니다.

15 대칭축은 대응점끼리 이은 선분을 둘로 똑같이 나누므로 선분 ㄹㅂ은 2 cm입니다.
각 ㄱㅁㄹ의 대응각은 각 ㄱㄴㄷ이므로
(각 ㄱㅁㄹ)=100°입니다.

16 점대칭도형에서 각각의 대응변의 길이가 서로 같고, 각각의 대응각의 크기가 서로 같습니다.

17 (각 ㅁㄹㅂ)=(각 ㄱㄴㄷ)=55°,
(각 ㄹㅁㅂ)=(각 ㄴㄱㄷ)=85°
⇨ (각 ㄹㅂㅁ)=180°−(55°+85°)=40°

18 (변 ㅁㅂ)=(변 ㄷㄴ)=10 cm
⇨ (삼각형 ㄹㅁㅂ의 둘레)=15+10+8=33 (cm)

19 삼각형 ㄱㄴㄷ의 밑변의 길이는 14 cm, 높이는 16÷2=8 (cm)이므로
넓이는 14×8÷2=56 (cm²)입니다.

20 (선분 ㄴㅇ)=(선분 ㅁㅇ)=3 cm이므로
(선분 ㄷㅇ)=5+3=8 (cm)
(선분 ㅁㅂ)=(선분 ㄴㄷ)=5 cm이므로
(선분 ㅂㅇ)=3+5=8 (cm)
⇨ (선분 ㄷㅂ)=(선분 ㄷㅇ)+(선분 ㅂㅇ)
=8+8=16 (cm)

103쪽 스스로 학습장

1 9, 30
2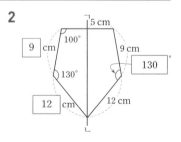

3 66

---

3 (변 ㄹㅁ)=(변 ㄱㄴ)=10 cm,
(변 ㅁㅂ)=(변 ㄴㄷ)=16 cm,
(변 ㄱㅂ)=(변 ㄹㄷ)=7 cm
⇨ 10+16+7+10+16+7=66 (cm)

4. 소수의 곱셈

학부모 지도 가이드

이 단원에서는 소수에 관한 이전 학습을 바탕으로 소수의 곱셈을 학습합니다. 분수와 소수의 관계를 바탕으로 개념적으로 이해하도록 활동을 제공하고 지도합니다. 또, 소수점의 위치와 관계없이 자연수처럼 계산한 다음 곱하는 두 수의 소수점 아래 자리 수를 더한 값만큼 곱의 소수점 아래 자리 수가 정해짐을 지도해 주세요.

106~107쪽 준비 학습

1 0.01, 10, 100
2 (1) 135 (2) 2.58, 0.258
3 $\dfrac{4}{5}$
4 0.3, 0.7
5 (1) 2.18 (2) 0.96
6 2, $\dfrac{10}{3}$, $3\dfrac{1}{3}$
7 $\dfrac{4}{5}$

1 $\dfrac{1}{10}$배 하면 소수점을 기준으로 수가 오른쪽으로 한 자리 이동하고, 10배 하면 소수점을 기준으로 수가 왼쪽으로 한 자리 이동합니다.

2 (1) 1.35의 100배 $\Rightarrow$ 135

(2) 25.8의 $\dfrac{1}{10}$배 $\Rightarrow$ 2.58, 25.8의 $\dfrac{1}{100}$배 $\Rightarrow$ 0.258

3 $\dfrac{4}{5}=\dfrac{8}{10}=0.8$, $\dfrac{1}{2}=\dfrac{5}{10}=0.5$

$\Rightarrow$ 0.8>0.7>0.5이므로 가장 큰 수는 $0.8\left(=\dfrac{4}{5}\right)$입니다.

5 (1)
$$\begin{array}{r} 1 \\ 0.2\,8 \\ +\,1.9 \\ \hline 2.1\,8 \end{array}$$

(2)
$$\begin{array}{r} 0\ \ 10 \\ \not{1}.7\,6 \\ -\,0.8 \\ \hline 0.9\,6 \end{array}$$

6 자연수와 분자를 곱하기 전, 분자와 분모를 4로 약분하여 계산합니다.

7 $\dfrac{\overset{2}{\cancel{6}}}{\underset{1}{\cancel{7}}} \times \dfrac{\overset{2}{\cancel{14}}}{\underset{5}{\cancel{15}}}=\dfrac{4}{5}$

109쪽 1단계 교과서 개념

1 방법1 0.5, 1.5
방법2 5, 5, 15, 1.5
방법3 15, 15, 1.5
2 2.7
3 2.8
4 5.6
5 0.92

1 방법1 덧셈식으로 계산합니다.
방법2 분수의 곱셈으로 계산합니다.
방법3 0.1의 개수로 계산합니다.

2 $0.3\times9=\dfrac{3}{10}\times9=\dfrac{3\times9}{10}=\dfrac{27}{10}=2.7$

3 $0.7\times4=\dfrac{7}{10}\times4=\dfrac{7\times4}{10}=\dfrac{28}{10}=2.8$

4 $0.8\times7=\dfrac{8}{10}\times7=\dfrac{8\times7}{10}=\dfrac{56}{10}=5.6$

5 $0.23\times4=\dfrac{23}{100}\times4=\dfrac{23\times4}{100}=\dfrac{92}{100}=0.92$

111쪽 1단계 교과서 개념

1 4.8
2 12, 12, 48, 4.8
3 264, 264, 528, 5.28
4 44.8
5 11.04

1 1이 3개, 0.1이 18개입니다.
$\Rightarrow$ 0.1이 18개이면 1.8이므로 3+1.8=4.8입니다.

2 소수 한 자리 수는 분모가 10인 분수로 나타내어 계산합니다.

3 소수 두 자리 수는 분모가 100인 분수로 나타내어 계산합니다.

4 $5.6\times8=\dfrac{56}{10}\times8=\dfrac{56\times8}{10}=\dfrac{448}{10}=44.8$

5 $2.76\times4=\dfrac{276}{100}\times4=\dfrac{276\times4}{100}=\dfrac{1104}{100}=11.04$

112~113쪽 · 2단계 개념 집중 연습

01 3, 3 / 21, 2.1　　　　**02** 5, 5 / 25, 2.5

03 9, 9 / 36, 3.6　　　　**04** 26, 26 / 182, 1.82

05 74, 74 / 222, 2.22

06 $0.4 \times 6 = \dfrac{4}{10} \times 6 = \dfrac{4 \times 6}{10} = \dfrac{24}{10} = 2.4$

07 $0.7 \times 5 = \dfrac{7}{10} \times 5 = \dfrac{7 \times 5}{10} = \dfrac{35}{10} = 3.5$

08 4.8　　　　**09** 6.3　　　　**10** 3.24

11 22, 22 / 66, 6.6

12 17, 17 / 85, 8.5

13 63, 63 / 126, 12.6

14 157, 157 / 1099, 10.99

15 293, 293 / 1465, 14.65

16 $2.3 \times 6 = \dfrac{23}{10} \times 6 = \dfrac{23 \times 6}{10} = \dfrac{138}{10} = 13.8$

17 $6.17 \times 2 = \dfrac{617}{100} \times 2 = \dfrac{617 \times 2}{100} = \dfrac{1234}{100} = 12.34$

18 13.6　　　　**19** 57.6

20 29.88

01~03 소수 한 자리 수는 분모가 10인 분수로 나타내어 계산합니다.

04~05 소수 두 자리 수는 분모가 100인 분수로 나타내어 계산합니다.

06 0.4는 $\dfrac{4}{10}$로 나타내어 계산합니다.

07 0.7은 $\dfrac{7}{10}$로 나타내어 계산합니다.

08 $0.6 \times 8 = \dfrac{6}{10} \times 8 = \dfrac{6 \times 8}{10} = \dfrac{48}{10} = 4.8$

09 $0.7 \times 9 = \dfrac{7}{10} \times 9 = \dfrac{7 \times 9}{10} = \dfrac{63}{10} = 6.3$

10 $0.81 \times 4 = \dfrac{81}{100} \times 4 = \dfrac{81 \times 4}{100} = \dfrac{324}{100} = 3.24$

11~13 소수 한 자리 수는 분모가 10인 분수로 나타내어 계산합니다.

14~15 소수 두 자리 수는 분모가 100인 분수로 나타내어 계산합니다.

16 2.3은 $\dfrac{23}{10}$으로 나타내어 계산합니다.

17 6.17은 $\dfrac{617}{100}$로 나타내어 계산합니다.

18 $3.4 \times 4 = \dfrac{34}{10} \times 4 = \dfrac{34 \times 4}{10} = \dfrac{136}{10} = 13.6$

19 $7.2 \times 8 = \dfrac{72}{10} \times 8 = \dfrac{72 \times 8}{10} = \dfrac{576}{10} = 57.6$

20 $4.98 \times 6 = \dfrac{498}{100} \times 6 = \dfrac{498 \times 6}{100} = \dfrac{2988}{100} = 29.88$

115쪽 · 1단계 교과서 개념

1 5, 5, 15, 1.5　　　　**2** 9, 9, 72, 7.2

3 6.3　　**4** 8　　**5** 18.4

1~2 소수 한 자리 수는 분모가 10인 분수로 나타내어 계산합니다.

3 곱하는 수가 $\dfrac{1}{10}$배이면 계산 결과도 $\dfrac{1}{10}$배입니다.

4 $16 \times 0.5 = 16 \times \dfrac{5}{10} = \dfrac{16 \times 5}{10} = \dfrac{80}{10} = 8$

5 $23 \times 0.8 = 23 \times \dfrac{8}{10} = \dfrac{23 \times 8}{10} = \dfrac{184}{10} = 18.4$

117쪽 · 1단계 교과서 개념

1 0.9, 3.9

2 방법1 26, 26 / 234, 23.4　　방법2 234, 23.4

3 64.5　　　　**4** 20.8

---

1 $3 \times 1.3 = 3 + 0.9 = 3.9$

2 방법1 분수의 곱셈으로 계산합니다.
　방법2 자연수의 곱셈으로 계산합니다.

3 $43 \times 1.5 = 43 \times \dfrac{15}{10} = \dfrac{43 \times 15}{10} = \dfrac{645}{10} = 64.5$

4 $20 \times 1.04 = 20 \times \dfrac{104}{100} = \dfrac{20 \times 104}{100}$
　　　　　$= \dfrac{2080}{100} = 20.8$

118~119쪽 **2**단계 개념 집중 연습

01 9, 9 / 27, 2.7 　　　　**02** 7, 7 / 133, 13.3

03 74, 74 / 592, 5.92 　　**04** 208, 20.8

05 455, 4.55

06 $17 \times 0.6 = 17 \times \dfrac{6}{10} = \dfrac{17 \times 6}{10} = \dfrac{102}{10} = 10.2$

07 $62 \times 0.07 = 62 \times \dfrac{7}{100} = \dfrac{62 \times 7}{100} = \dfrac{434}{100} = 4.34$

08 1.35 　　　　**09** 21.6 　　　　**10** 2.48

11 19, 19 / 76, 7.6

12 16, 16 / 320, 32

13 271, 271 / 2439, 24.39

14 136, 13.6

15 2520, 25.2

16 $14 \times 3.8 = 14 \times \dfrac{38}{10} = \dfrac{14 \times 38}{10} = \dfrac{532}{10} = 53.2$

17 $32 \times 1.04 = 32 \times \dfrac{104}{100} = \dfrac{32 \times 104}{100} = \dfrac{3328}{100} = 33.28$

18 11.2 　　　　　　**19** 81

20 43.5

01~02 소수 한 자리 수는 분모가 10인 분수로 나타내어 계산합니다.

03 소수 두 자리 수는 분모가 100인 분수로 나타내어 계산합니다.

04 곱하는 수가 $\dfrac{1}{10}$배이면 계산 결과도 $\dfrac{1}{10}$배입니다.

05 곱하는 수가 $\dfrac{1}{100}$배이면 계산 결과도 $\dfrac{1}{100}$배입니다.

06 0.6은 $\dfrac{6}{10}$으로 나타내어 계산합니다.

07 0.07은 $\dfrac{7}{100}$로 나타내어 계산합니다.

08 $3 \times 0.45 = 3 \times \dfrac{45}{100} = \dfrac{3 \times 45}{100} = \dfrac{135}{100} = 1.35$

09 $24 \times 0.9 = 24 \times \dfrac{9}{10} = \dfrac{24 \times 9}{10} = \dfrac{216}{10} = 21.6$

10 $62 \times 0.04 = 62 \times \dfrac{4}{100} = \dfrac{62 \times 4}{100} = \dfrac{248}{100} = 2.48$

11~12 소수 한 자리 수는 분모가 10인 분수로 나타내어 계산합니다.

13 소수 두 자리 수는 분모가 100인 분수로 나타내어 계산합니다.

14 곱하는 수가 $\dfrac{1}{10}$배이면 계산 결과도 $\dfrac{1}{10}$배입니다.

15 곱하는 수가 $\dfrac{1}{100}$배이면 계산 결과도 $\dfrac{1}{100}$배입니다.

16 3.8은 $\dfrac{38}{10}$로 나타내어 계산합니다.

17 1.04는 $\dfrac{104}{100}$로 나타내어 계산합니다.

18 $7 \times 1.6 = 7 \times \dfrac{16}{10} = \dfrac{7 \times 16}{10} = \dfrac{112}{10} = 11.2$

19 $45 \times 1.8 = 45 \times \dfrac{18}{10} = \dfrac{45 \times 18}{10} = \dfrac{810}{10} = 81$

20 $25 \times 1.74 = 25 \times \dfrac{174}{100} = \dfrac{25 \times 174}{100} = \dfrac{4350}{100} = 43.5$

121쪽 **1**단계 교과서 개념

1 6, 7, 42, 0.42 　　　　**2** 14, 4, 56, 0.056

3 0.54 　　　　　　　　**4** 0.28

5 0.03

---

1 0.6은 $\dfrac{6}{10}$으로, 0.7은 $\dfrac{7}{10}$로 나타내어 계산합니다.

2 0.14는 $\dfrac{14}{100}$로, 0.4는 $\dfrac{4}{10}$로 나타내어 계산합니다.

3
$$
\begin{array}{r}
0.9 \\
\times\ 0.6 \\
\hline
5\ 4
\end{array}
\quad\Rightarrow\quad
\begin{array}{r}
0.9 \\
\times\ 0.6 \\
\hline
0.5\ 4
\end{array}
$$

자연수처럼 생각하고 계산한 다음 소수의 크기를 생각하여 소수점을 찍습니다.

4 $0.7 \times 0.4 = \dfrac{7}{10} \times \dfrac{4}{10} = \dfrac{28}{100} = 0.28$

5 $0.05 \times 0.6 = \dfrac{5}{100} \times \dfrac{6}{10} = \dfrac{30}{1000} = 0.03$

정답 및 풀이

123쪽 — 1단계 교과서 개념

1 방법1 26, 17, 442, 4.42 방법2 442, 4.42
2 1.54   **3** 2.996
4 7.37   **5** 3.968

---

1 방법1 2.6은 $\frac{26}{10}$으로, 1.7은 $\frac{17}{10}$로 나타내어 계산합니다.

방법2 2.6은 26의 $\frac{1}{10}$배이고, 1.7은 17의 $\frac{1}{10}$배이므로 2.6×1.7은 442의 $\frac{1}{100}$배인 4.42가 됩니다.

2 1.4에 1.1을 곱하면 1.4보다 큰 값이 나와야 하므로 1.54입니다.

3 1.07은 1 정도이므로 1과 2.8의 곱은 2.8이므로 2.8에 가까운 2.996입니다.

4 $6.7 \times 1.1 = \frac{67}{10} \times \frac{11}{10} = \frac{737}{100} = 7.37$

5 $1.24 \times 3.2 = \frac{124}{100} \times \frac{32}{10} = \frac{3968}{1000} = 3.968$

125쪽 — 1단계 교과서 개념

1 (1) 24, 24, 240, 2.4   (2) 24, 24, 2400, 24
(3) 24, 24, 24000, 240
2 (1) 56, 56   (2) 8, 7, 56, 0.56
(3) 8, 7, 56, 0.056
3 39.4   **4** 54
394   5.4
3940   0.54

3 곱하는 수의 0이 하나씩 늘어날 때마다 곱의 소수점이 오른쪽으로 한 칸씩 옮겨집니다.

4 곱하는 소수의 소수점 아래 자리 수가 하나씩 늘어날 때마다 곱의 소수점이 왼쪽으로 한 칸씩 옮겨집니다.

126~127쪽 — 2단계 개념 집중 연습

01 6, 4 / 24, 0.24   **02** 46, 9 / 414, 0.414
03 4, 25 / 100, 0.1   **04** 24, 0.24
05 384, 0.0384   **06** 0.48
07 0.205   **08** 0.576
09 1125, 11.25   **10** 6048, 6.048
11 $6.2 \times 1.8 = \frac{62}{10} \times \frac{18}{10} = \frac{1116}{100} = 11.16$
12 $2.63 \times 2.5 = \frac{263}{100} \times \frac{25}{10} = \frac{6575}{1000} = 6.575$
13 3.78   **14** 4.092
15 14.16   **16** 31.25, 312.5, 3125
17 50.4, 5.04, 0.504   **18** 1431, 14.31
19 5.1, 0.51   **20** 26.25, 0.2625

---

01 소수 한 자리 수는 분모가 10인 분수로 나타내어 계산합니다.

02~03 소수 한 자리 수는 분모가 10인 분수로, 소수 두 자리 수는 분모가 100인 분수로 나타내어 계산합니다.

04 0.8은 8의 $\frac{1}{10}$배이고, 0.3은 3의 $\frac{1}{10}$배이므로 0.8×0.3은 24의 $\frac{1}{100}$배인 0.24가 됩니다.

05 0.24는 24의 $\frac{1}{100}$배이고, 0.16은 16의 $\frac{1}{100}$배이므로 0.24×0.16은 384의 $\frac{1}{10000}$배인 0.0384가 됩니다.

06
$$\begin{array}{r} 0.8 \\ \times\ 0.6 \\ \hline 48 \end{array} \Rightarrow \begin{array}{r} 0.8 \\ \times\ 0.6 \\ \hline 0.48 \end{array}$$

자연수처럼 생각하고 계산한 다음 소수의 크기를 생각하여 소수점을 찍습니다.

07 $0.41 \times 0.5 = \frac{41}{100} \times \frac{5}{10} = \frac{205}{1000} = 0.205$

08 $0.9 \times 0.64 = \frac{9}{10} \times \frac{64}{100} = \frac{576}{1000} = 0.576$

09 2.5는 25의 $\frac{1}{10}$배이고, 4.5는 45의 $\frac{1}{10}$배이므로 2.5×4.5는 1125의 $\frac{1}{100}$배인 11.25가 됩니다.

10 1.12는 112의 $\dfrac{1}{100}$배이고, 5.4는 54의 $\dfrac{1}{10}$배이므로

1.12×5.4는 6048의 $\dfrac{1}{1000}$배인 6.048이 됩니다.

11 6.2는 $\dfrac{62}{10}$로, 1.8은 $\dfrac{18}{10}$로 나타내어 계산합니다.

12 2.63은 $\dfrac{263}{100}$으로, 2.5는 $\dfrac{25}{10}$로 나타내어 계산합니다.

13 $2.7 \times 1.4 = \dfrac{27}{10} \times \dfrac{14}{10} = \dfrac{378}{100} = 3.78$

14 $1.24 \times 3.3 = \dfrac{124}{100} \times \dfrac{33}{10} = \dfrac{4092}{1000} = 4.092$

15 $11.8 \times 1.2 = \dfrac{118}{10} \times \dfrac{12}{10} = \dfrac{1416}{100} = 14.16$

16 $3.125 \times 10 = 31.25$
$3.125 \times 100 = 312.5$
$3.125 \times 1000 = 3125$

17 $504 \times 0.1 = 50.4$
$504 \times 0.01 = 5.04$
$504 \times 0.001 = 0.504$

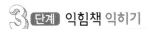

128~131쪽 3단계 **익힘책** 익히기

01 0.7, 2.8 / 7, 7, 28, 2.8 / 7, 7, 28, 2.8
02 ㉡   **03** (1) 2.7 (2) 1.61
04 (1) 7, 7, 35, 3.5 (2) 128, 1.28
05 (1) 43.2 (2) 211.5 **06** ㉢
07 ㉢   **08** ㉡
09 예 자연수의 곱셈으로 계산하기

$$241 \times 12 = 2892$$
$$\searrow \tfrac{1}{100}배 \quad \downarrow \tfrac{1}{10}배 \quad \swarrow \tfrac{1}{1000}배$$
$$2.41 \times 1.2 = 2.892$$

10 23.75
11 (위부터) $0.001\left(또는 \dfrac{1}{1000}\right)$, 0.126 /

예 $0.9 \times 0.14 = \dfrac{9}{10} \times \dfrac{14}{100} = \dfrac{126}{1000} = 0.126$ /

이유 $0.01\left(또는 \dfrac{1}{100}\right)$, $0.001\left(또는 \dfrac{1}{1000}\right)$, 0.126

12 (1) 0.21 (2) 0.318

02 ㉠ $4.6 \times 2 \rightarrow 4$와 2의 곱인 8보다 큽니다.
㉡ $1.9 \times 3 \rightarrow 2$와 3의 곱인 6보다 작습니다.

㉢ $1.1 \times 8 \rightarrow 1$과 8의 곱인 8보다 큽니다.
➡ 계산 결과가 8보다 작은 것은 ㉡입니다.

03 (1) $0.9 \times 3 = \dfrac{9}{10} \times 3 = \dfrac{9 \times 3}{10} = \dfrac{27}{10} = 2.7$

(2) $0.23 \times 7 = \dfrac{23}{100} \times 7 = \dfrac{23 \times 7}{100} = \dfrac{161}{100} = 1.61$

04 (1) 소수 한 자리 수는 분모가 10인 분수로 나타내어
계산합니다.

(2) 곱하는 수가 $\dfrac{1}{100}$배이면 계산 결과도 $\dfrac{1}{100}$배입니다.

05 (1) $24 \times 1.8 = 24 \times \dfrac{18}{10} = \dfrac{24 \times 18}{10} = \dfrac{432}{10} = 43.2$

(2) $30 \times 7.05 = 30 \times \dfrac{705}{100} = \dfrac{30 \times 705}{100}$
$= \dfrac{21150}{100} = 211.5$

06 0.83×0.48을 0.83의 0.5로 어림하면 0.8의 반은
0.4이므로 답은 0.4에 가까운 ㉢ 0.3984입니다.

07 ㉠ 12.1의 $0.6 \rightarrow 12$의 0.6배 정도로 어림하면 7보
다 큽니다.
㉡ 3.5의 2.5배 $\rightarrow 3.5$의 2배인 7보다 큽니다.
㉢ $4.9 \times 1.2 \rightarrow 5$의 1.2배가 6이므로 7보다 작습니다.
➡ 계산 결과가 7보다 작은 것은 ㉢입니다.

08 ㉠ $49 \times 0.1 = 4.9$ ㉡ $490 \times 0.001 = 0.49$
㉢ $0.49 \times 10 = 4.9$
➡ 계산 결과가 다른 것은 ㉡입니다.

09 예 소수의 크기를 생각하여 계산하기
$241 \times 12 = 2892$인데 2.41에 1.2를 곱하면 2.41
의 1배인 2.41보다 커야 하므로 2.892입니다.

10 $12.5 > 10.95 > 8.6 > 1.9$
➡ (가장 큰 수) $\times$ (가장 작은 수) $= 12.5 \times 1.9$
$= 23.75$

12 (1) 3.18은 318의 0.01배인데 0.6678은 6678의
0.0001배이므로 □ 안에 알맞은 수는 21의 0.01배
인 0.21입니다.

(2) 2100은 21의 100배인데 667.8은 6678의 0.1배
이므로 □ 안에 알맞은 수는 318의 0.001배인
0.318입니다.

정답 및 풀이

132~134쪽 4단계 단원 평가

01 1.8 / 3, 1.8
02 7, 7 / 56, 5.6
03 8, 8 / 280, 28
04 (위부터) 512, 10, 51.2
05 5.1
06 6.65
07 4.27, 42.7, 427
08 1.944
09 $0.9 \times 0.4 = \dfrac{9}{10} \times \dfrac{4}{10} = \dfrac{36}{100} = 0.36$
10
11 ( )(◯)( )
12 6.4, 54
13 <
14 3.6
15 0.14, 0.182
16 2.4 km
17 0.392
18 ㉠
19 $8.5 \times 3.4 = 28.9$ / $28.9\,\text{cm}^2$
20 493.8 km

---

04 곱하는 수가 $\dfrac{1}{10}$ 배이면 계산 결과도 $\dfrac{1}{10}$ 배입니다.

05 $1.7 \times 3 = \dfrac{17}{10} \times 3 = \dfrac{17 \times 3}{10} = \dfrac{51}{10} = 5.1$

06 $19 \times 0.35 = 19 \times \dfrac{35}{100} = \dfrac{19 \times 35}{100} = \dfrac{665}{100} = 6.65$

07 $0.427 \times 10 = 4.27$, $0.427 \times 100 = 42.7$, $0.427 \times 1000 = 427$

08 $54 \times 36 = 1944$
$\dfrac{1}{10}$배 $\dfrac{1}{100}$배 $\dfrac{1}{1000}$배
$5.4 \times 0.36 = 1.944$

10 곱하는 두 수의 소수점 아래 자리 수를 더한 값만큼 곱의 소수점 아래 자리 수가 정해집니다.

11 • 5.2×2 → 5의 2배인 10보다 큽니다.
• 3.9×2 → 4의 2배가 8이므로 10보다 작습니다.
• 4.1×3 → 4의 3배인 12보다 큽니다.
⇨ 계산 결과가 10보다 작은 것은 3.9×2입니다.

12 $0.8 \times 8 = \dfrac{8}{10} \times 8 = \dfrac{8 \times 8}{10} = \dfrac{64}{10} = 6.4$,
$15 \times 3.6 = 15 \times \dfrac{36}{10} = \dfrac{15 \times 36}{10} = \dfrac{540}{10} = 54$

13 $7.1 \times 2.3 = \dfrac{71}{10} \times \dfrac{23}{10} = \dfrac{1633}{100} = 16.33$
⇨ $16.33 < 16.4$

14 27.3은 273의 0.1배인데 98.28은 9828의 0.01배이므로 □ 안에 알맞은 수는 36의 0.1배인 3.6입니다.

15 $0.7 \times 0.2 = 0.14$,
⇨ $0.14 \times 1.3 = 0.182$

16 (학교에서 도서관까지의 거리) $= 3 \times 0.8 = 2.4$ (km)

17 $0.8 > 0.72 > 0.5 > 0.49$
⇨ (가장 큰 수) × (가장 작은 수)
$= 0.8 \times 0.49 = 0.392$

18 ㉠ 100 ㉡ 10 ㉢ 0.1
⇨ □ 안에 알맞은 수 중 가장 큰 것은 ㉠입니다.

19 (평행사변형의 넓이) = (밑변의 길이) × (높이)
$= 8.5 \times 3.4 = 28.9$ (cm²)

20 (6시간 동안 달린 거리) $= 82.3 \times 6 = 493.8$ (km)

135쪽 스스로 학습장

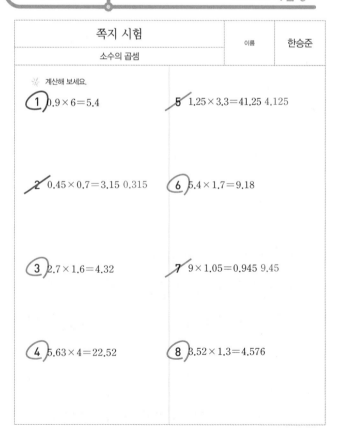

5. 직육면체

학부모 지도 가이드

우리는 일상생활에서 도형을 쉽게 발견할 수 있습니다. 작게는 다양한 상자에서부터 크게는 빌딩에 이르기까지 다양한 입체도형에 둘러싸여 생활한다는 사실을 알게 합니다.
이 단원에서는 직육면체와 정육면체를 알아보고 직육면체와 정육면체의 공통점과 차이점을 알아보도록 하였습니다. 직육면체의 여러 가지 성질과 겨냥도를 알아보며 정육면체와 직육면체의 전개도를 이해하고 그릴 수 있도록 구성하였습니다. 직육면체에 대한 구체적이고 다양한 활동으로 학생들이 주변 사물에 대한 공간 지각 능력을 향상시킬 수 있도록 지도해 주세요.

138~139쪽   준비 학습

1 가, 나, 라   **2** 나, 라
3 직선 나, 직선 라   **4** 변 ㅂㅁ, 변 ㄹㄷ
5 (1) 예   (2) 예

6 ㄹ

3 직선 ㄱㄴ과 만나서 이루는 각이 직각인 직선을 모두 찾습니다.

4 아무리 늘여도 변 ㄱㄴ과 서로 만나지 않는 변을 모두 찾습니다.

5 삼각자나 각도기를 사용하여 주어진 직선에 대한 수선을 긋습니다.

6 ㄹ 정사각형은 네 각이 모두 직각이므로 직사각형이라고 할 수 있습니다.

141쪽   1단계 교과서 개념

1 (1) 직사각형에 ○표   (2) 직육면체
2 면, 모서리, 꼭짓점   **3** (위부터) 꼭짓점, 면, 모서리

3 면: 선분으로 둘러싸인 부분
모서리: 면과 면이 만나는 선분
꼭짓점: 모서리와 모서리가 만나는 점

143쪽   1단계 교과서 개념

1 정육면체
2 ( )( )( )( )(○)
3 (1) 같습니다에 ○표   (2) 직사각형에 ○표
    (3) 있습니다에 ○표

2 정사각형 6개로 둘러싸인 도형을 찾습니다.

3 (1) 직육면체의 모서리의 수: 12개,
      정육면체의 모서리의 수: 12개
    (3) 정사각형은 직사각형이라고 할 수 있으므로 정육면체는 직육면체라고 할 수 있습니다.

144~145쪽   2단계 개념 집중 연습

01 ( )(○)   **02** (○)( )   **03** ( )(○)
04 (왼쪽부터) 면, 모서리, 꼭짓점
05 6개   **06** 12개
07 8개   **08** ○
09 ×   **10** ×
11 (○)( )   **12** ( )(○)   **13** (○)( )
14 3개, 9개, 7개   **15** 12, 8
16 ○   **17** ○   **18** ×
19 ○   **20** ×

04 면: 선분으로 둘러싸인 부분
모서리: 면과 면이 만나는 선분
꼭짓점: 모서리와 모서리가 만나는 점

05 직육면체는 직사각형 6개로 둘러싸인 도형입니다.

06 면과 면이 만나는 선분의 수를 모두 세어 봅니다.

07 모서리와 모서리가 만나는 점의 수를 모두 세어 봅니다.

09 면과 면이 만나는 선분은 모서리입니다.

10 직육면체에서 면의 크기가 모두 같지는 않습니다.

14 보이는 면은 3개, 보이는 모서리는 9개, 보이는 꼭짓점은 7개입니다.

15 정육면체의 면의 수, 모서리의 수, 꼭짓점의 수는
직육면체와 같습니다.

18 모서리가 모두 12개입니다.

20 직육면체와 정육면체는 면이 6개, 모서리가 12개,
꼭짓점이 8개로 같습니다.

147쪽　1단계 교과서 개념

1 평행에 ○표　　　　**2** 수직에 ○표
3 (1) 면 ㅁㅂㅅㅇ　(2) 90°　(3) ㄷㅅㅇㄹ, ㄱㅁㅇㄹ

---

3 (1) 면 ㄱㄴㄷㄹ과 평행한 면은 마주 보는 면인
면 ㅁㅂㅅㅇ입니다.

(2) 면 ㄱㄴㄷㄹ과 면 ㄷㅅㅇㄹ은 서로 수직이므로 만
나서 이루는 각의 크기는 90°입니다.

(3) 직육면체에서 서로 만나는 면은 수직입니다.

149쪽　1단계 교과서 개념

1 (1) 겨냥도　(2) 3, 3　(3) 9, 3
2 (　)(○)(　)
3

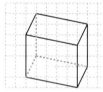　　　**4**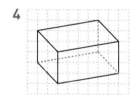

---

1 (2) 보이지 않는 면 :

   ⇨ 3개

(3) 보이는 모서리는 실선으로, 보이지 않는 모서리는
점선으로 나타냈으므로 각 모서리의 수를 세어 봅
니다.

2 직육면체의 겨냥도는 보이는 모서리는 실선으로,
보이지 않는 모서리는 점선으로 그립니다.

3 겨냥도를 완성한 후 보이는 모서리 9개, 보이지 않는
모서리 3개로 모두 12개의 모서리가 그려졌는지 확
인합니다.

150~151쪽　2단계 개념 집중 연습

01 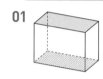　　　**02**

03

04 면 ㄱㄴㄷㄹ　　　**05** 면 ㄹㄷㅅㅇ
06 (　)(○)(　)　　　**07** (　)(　)(○)
08 면 ㄱㄴㄷㄹ, 면 ㄴㅂㅁㄱ, 면 ㅁㅂㅅㅇ, 면 ㄷㅅㅇㄹ
09 면 ㄴㅂㅅㄷ, 면 ㄷㅅㅇㄹ, 면 ㄱㅁㅇㄹ, 면 ㄴㅂㅁㄱ
10 ×　　　　　　　**11** ○
12 ×　　　　　　　**13** ×
14 ○　　　　　　　**15** ○
16 ×　　　　　　　**17** ×
18 　　　**19**

20

01~03 직육면체에서 서로 마주 보는 면은 평행하므로 색
칠한 면과 마주 보는 면을 찾아 빗금으로 나타냅니다.

04 면 ㅁㅂㅅㅇ과 마주 보는 면을 찾습니다.

05 면 ㄱㄴㅂㅁ과 마주 보는 면을 찾습니다.

06~07 색칠한 면과 수직인 면은 색칠한 면과 만나는 면
입니다.

08 면 ㄱㅁㅇㄹ과 만나는 면을 모두 찾습니다.

09 면 ㄱㄴㄷㄹ과 만나는 면을 모두 찾습니다.

10~14 겨냥도에서는 보이는 모서리는 실선으로, 보이
지 않는 모서리는 점선으로 그립니다.

16 보이는 꼭짓점은 7개입니다.

17 보이지 않는 모서리는 3개입니다.

18~20 겨냥도에서는 보이는 모서리는 실선으로, 보이지
않는 모서리는 점선으로 그립니다.

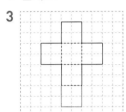

153쪽   **1단계** 교과서 개념

1 전개도   **2** (1) 면 라   (2) 다, 라

3
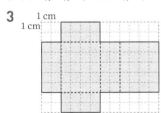

1 정육면체의 모서리를 잘라서 펼친 그림을 정육면체의 전개도라고 합니다.

2 (1) 전개도를 접었을 때 면 **나**와 마주 보는 면을 찾습니다.

   (2) 전개도를 접었을 때 면 **바**와 만나는 면을 모두 찾습니다.

155쪽   **1단계** 교과서 개념

1 (   )(   )(○)

2 (1) 바, 라, 마   (2) 라, 바

3
1 cm
1 cm

1 전개도를 접었을 때 만나는 모서리의 길이가 같아야 하고, 겹치는 면이 있으면 안 됩니다.

2 (1) 전개도를 접었을 때 서로 마주 보는 면을 찾습니다.

   (2) 전개도를 접었을 때 면 **다**와 만나는 면을 모두 찾습니다.

> **참고**
> 면 다와 면 마는 서로 평행하므로 면 마를 제외한 나머지 면과 모두 수직입니다.

3 전개도를 접었을 때 마주 보는 면이 3쌍이고 마주 보는 면의 모양과 크기가 같아야 하며 만나는 모서리의 길이가 같을 수 있도록 점선을 그려 넣어야 합니다.

156~157쪽   **2단계** 개념 집중 연습

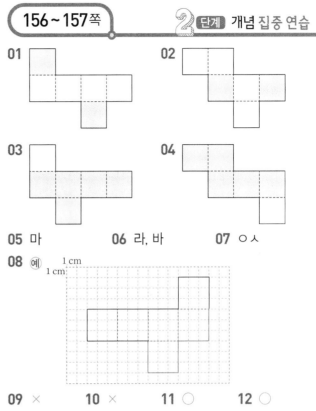

05 마   **06** 라, 바   **07** ○ㅅ

08 예
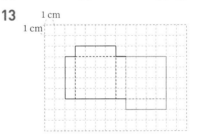
1 cm
1 cm

09 ×   **10** ×   **11** ○   **12** ○

13
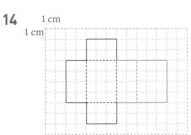
1 cm
1 cm

14
1 cm
1 cm

15 예
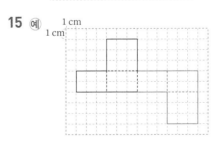
1 cm
1 cm

01~02 전개도를 접었을 때 색칠한 면과 평행한 면을 찾습니다.

03~04 전개도를 접었을 때 색칠한 면과 평행한 면을 제외한 나머지 4개의 면은 모두 수직인 면입니다.

05 전개도를 접었을 때 색칠한 면과 평행한 면을 찾습니다.

06 전개도를 접었을 때 색칠한 면과 평행한 면을 제외한 나머지 4개의 면은 모두 수직인 면입니다.

07 전개도를 접었을 때 선분 ㄹㅁ은 선분 ㅇㅅ을 만나 한 모서리가 됩니다.

08 정육면체를 잘라서 펼쳤을 때 잘린 모서리는 실선으로, 잘리지 않는 모서리는 점선으로 그리고, 접었을 때 서로 만나는 모서리의 길이가 같도록 그립니다.

09 잘리지 않는 모서리는 점선으로 나타내어야 합니다.

10 면이 6개가 아닙니다.

11 전개도를 그렸을 때 서로 만나는 모서리의 길이가 같아야 하고 마주 보는 면의 모양과 크기가 같아야 합니다.

13~15 마주 보는 면 3쌍의 모양과 크기가 같고 서로 겹치는 면이 없으며 만나는 모서리의 길이가 같도록 그립니다.

14 예
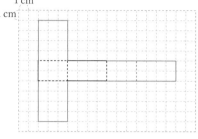

02 직사각형 6개로 둘러싸인 도형을 모두 찾습니다.

03 정사각형 6개로 둘러싸인 도형을 모두 찾습니다.

04 직사각형 6개로 둘러싸인 도형을 직육면체라고 합니다.

05

⇨ 서로 마주 보는 면이 3쌍이므로 서로 평행한 면은 모두 3쌍입니다.

07 보이는 모서리는 실선으로, 보이지 않는 모서리는 점선으로 그린 그림을 찾습니다.

10 수호: 직사각형은 정사각형이라고 할 수 없으므로 직육면체는 정육면체라고 할 수 없습니다.

11 전개도를 접었을 때 만나는 모서리의 길이는 같습니다.

12 면 ㄱㄴㄷㄹ과 평행한 면은 면 ㅁㅂㅅㅇ입니다.
⇨ 6+5+6+5=22 (cm)

13 전개도를 접었을 때 만나는 점끼리 같은 기호를 써넣습니다.

14 마주 보는 면 3쌍의 모양과 크기가 같고 서로 겹치는 면이 없으며 만나는 모서리의 길이가 같도록 그립니다.

158~161쪽 3단계 익힘책 익히기

01 직육면체
02 ( )(○)( )(○)
03 나, 라
04 가, 다, 마
05 3쌍
06 실선에 ○표, 점선에 ○표
07 다
08 면 ㄱㄴㄷㄹ, 면 ㄴㅂㅅㄷ, 면 ㄷㅅㅇㄹ
09 직각에 ○표
10 수지
11
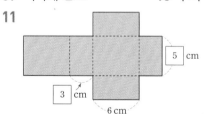
12 22 cm
13
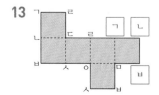

162~164쪽 4단계 단원 평가

01 ②, ⑤
02 (왼쪽부터) 모서리, 면, 꼭짓점
03 예 정사각형
04 6, 12, 8
05 겨냥도
06 3개
07 3개

08 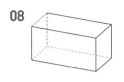 **09**

10 ㅁㅂㅅㅇ, ㄴㅂㅅㄷ, ㄴㅂㅁㄱ

11 ㄱㄴㄷㄹ, ㄴㅂㅅㄷ, ㅁㅂㅅㅇ, ㄱㅁㅇㄹ

12 ③

13 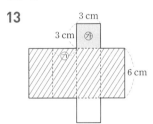 **14** 3 cm

15 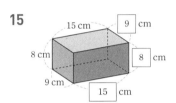 **16**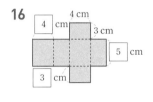

17 ㉡ **18** 4개

19 60 cm

20 예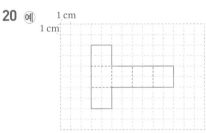

---

01 직육면체는 직사각형 6개로 둘러싸인 도형입니다.

02 면: 선분으로 둘러싸인 부분
모서리: 면과 면이 만나는 선분
꼭짓점: 모서리와 모서리가 만나는 점

03 정육면체는 정사각형 6개로 둘러싸인 도형입니다.

06 직육면체의 겨냥도에서 보이지 않는 모서리는 점선으로 나타냈으므로 점선으로 나타낸 모서리의 수를 세어 봅니다.

07 직육면체의 겨냥도에서 보이는 면은 3개, 보이지 않는 면도 3개입니다.

08 직육면체의 겨냥도를 그릴 때 보이는 모서리는 실선으로, 보이지 않는 모서리는 점선으로 그립니다.

09 색칠한 면과 마주 보는 면을 찾아 빗금으로 나타냅니다.

10 직육면체에서 서로 마주 보는 면은 평행하므로 마주 보는 면을 찾아 씁니다.

11 면 ㄱㄴㅂㅁ과 만나는 면을 모두 찾아 씁니다.

12 ③ 서로 겹치는 면이 있습니다.

> **참고**
> 정육면체의 전개도를 그리는 방법은 다음과 같습니다.
>

13 전개도를 접었을 때 면 ㉮와 만나는 면을 모두 찾아 빗금으로 나타냅니다.

14 전개도를 접었을 때 만나는 모서리의 길이는 같으므로 ㉠의 길이는 3 cm입니다.

15 직육면체의 면은 직사각형이므로 마주 보는 변의 길이, 즉 평행한 모서리의 길이는 모두 같습니다.

16 전개도를 접었을 때 만나는 모서리의 길이는 같습니다.

17 ㉡ 직사각형은 정사각형이라고 할 수 없으므로 직육면체는 정육면체라고 할 수 없습니다.

18 직육면체는 길이가 같은 모서리가 4개씩 3쌍이므로 길이가 8 cm인 모서리는 모두 4개입니다.

19 정육면체의 모든 모서리의 길이는 같고, 모서리는 모두 12개입니다. 따라서 모든 모서리의 길이의 합은 $5 \times 12 = 60$ (cm)입니다.

20 모눈의 눈금 한 칸은 1 cm를 나타내므로 정육면체 한 면의 한 변의 길이가 모눈 2칸을 차지하도록 그립니다.

165쪽 스스로 학습장

1 ( )(○)
( )(○)

2 ( )(○)
(○)( )

3 ( )( )
(○)( )

4 ( )(○)
( )( )

6. 평균과 가능성

168~169쪽   준비 학습

1

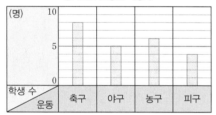

좋아하는 운동별 학생 수

2 축구   **3** 피구

4 오후 2시   **5** 낮 12시와 오후 2시 사이

6

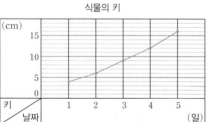

식물의 키

171쪽   1단계 교과서 개념

1 4명, 3명   **2** 12개, 12개

3 영미네 모둠

4

방법	○표
각 학급의 학생 수 20, 23, 21, 24 중 가장 큰 수인 24로 정합니다.	
각 학급의 학생 수 20, 23, 21, 24 중 가장 작은 수인 20으로 정합니다.	
각 학급의 학생 수 20, 23, 21, 24를 고르게 하면 22, 22, 22, 22가 되므로 22로 정합니다.	○

2 선호네 모둠: $2+1+5+4=12$(개)

영미네 모둠: $6+3+3=12$(개)

3 선호네 모둠은 4명이 12개의 화살을 넣었고, 영미네 모둠은 3명이 12개의 화살을 넣었으므로 영미네 모둠이 투호에 한 사람당 넣은 화살 수가 더 많으므로 더 잘했다고 생각할 수 있습니다.

4 각 학급의 학생 수 20, 23, 21, 24 중 가장 큰 수나 가장 작은 수만으로는 각 학급당 몇 명의 학생이 있는지 알기 어렵습니다.

173쪽   1단계 교과서 개념

1 5   **2** 5개

3 82, 336, 84

2 윤아네 모둠 친구들이 가지고 있는 연결 큐브의 수를 고르게 하면 모두 5개씩 되므로 윤아네 모둠 4명이 가지고 있는 연결 큐브 수의 평균은 5개입니다.

3 (평균)=(자료의 값을 모두 더한 수)÷(자료의 수)

$=(95+74+85+82)÷4$

$=336÷4=84$(점)

174~175쪽   2단계 개념 집중 연습

01 예 21℃

02

방법	○표
오후 2시의 교실의 온도 19, 21, 22, 23, 20 중 가장 작은 수인 19로 정합니다.	
오후 2시의 교실의 온도 19, 21, 22, 23, 20을 고르게 하면 21, 21, 21, 21, 21이 되므로 21로 정합니다.	○
오후 2시의 교실의 온도 19, 21, 22, 23, 20 중 가장 큰 수인 23으로 정합니다.	

03 21℃   **04** 36, 6   **05** 150, 30

06 180, 36   **07** 812, 203   **08** 89

09 850   **10** 31   **11** 13

12 51   **13** 220명   **14** 5개월

15 44명   **16** 160번   **17** 5명

18 32번

08 $(92+98+83+83)\div4=356\div4=89$

09 $(880+870+920+730)\div4=3400\div4=850$

10 $(32+36+28+30+29)\div5=155\div5=31$

11 $(10+9+19+12+15)\div5=65\div5=13$

12 $(54+52+48+46+55)\div5=255\div5=51$

13 $51+48+38+42+41=220$(명)

15 $220\div5=44$(명)

16 $27+37+32+27+37=160$(번)

18 $160\div5=32$(번)

177쪽 · 1단계 교과서 개념

1 예

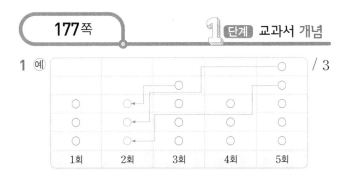

2 5, 15, 3

---

1 예상한 평균에 맞춰 ○표를 옮겨 점수를 고르게 하니
○표가 모두 3개씩입니다.

2 (평균)=(자료의 값을 모두 더한 수)÷(자료의 수)
$$=(3+0+4+3+5)\div5$$
$$=15\div5=3\text{(점)}$$

179쪽 · 1단계 교과서 개념

1 (1) 15, 75   (2) 15번
2 (1) 25, 5   (2) 5, 20   (3) 2개

---

1 (1) (팔굽혀펴기 기록의 합)=(평균)×(횟수)
$$=15\times5=75\text{(번)}$$
   (2) $75-(15+18+13+14)=15$(번)

2 (2) 진욱이와 서현이가 건 고리 수의 평균이 같으므로
   (서현이가 건 고리 수)=(평균)×(횟수)
$$=5\times4=20\text{(개)}$$
   (3) $20-(8+4+6)=2$(개)

180~181쪽 · 2단계 개념 집중 연습

01 예

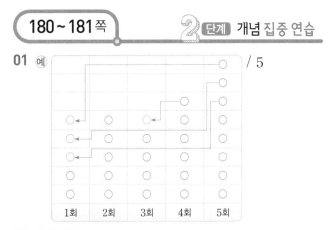

02 6, 8, 25, 5
03 30, 40, 30, 30
04 40, 30, 5, 150, 30
05 65   **06** 10 m   **07** 115
08 23명   **09** 4, 104   **10** 7살
11 5, 450   **12** 85점

---

01 턱걸이 기록의 평균을 5회로 예상하고 5회에 맞춰
○표를 옮겨 기록을 고르게 하니 ○표가 모두 5개씩
이므로 평균은 5회입니다.

05 (공던지기 기록의 합)
$$=\text{(평균)}\times\text{(횟수)}=13\times5=65\,(m)$$

06 $65-(8+17+16+14)=10\,(m)$

07 (5학년 전체 학생 수)
$$=\text{(평균)}\times\text{(반의 수)}=23\times5=115\text{(명)}$$

08 $115-(21+25+26+20)=23$(명)

09 (은진이네 가족의 나이의 합)
$$=\text{(평균)}\times\text{(가족 수)}=26\times4=104\text{(살)}$$

10 $104-(45+40+12)=7$(살)

11 (준영이네 모둠의 수학 점수의 합)
$=$(평균)$\times$(모둠 학생 수)$=90\times5=450$(점)

12 $450-(95+92+88+90)=85$(점)

183쪽 **1** 단계 교과서 개념

1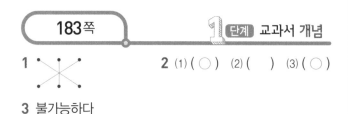

2 (1) (○) (2) ( ) (3) (○)

3 불가능하다

---

1 동전을 던지면 숫자 면이나 그림 면이 나오므로 동전을 던져 그림 면이 나올 가능성은 반반입니다.

2 (3) 해는 동쪽에서 떠서 서쪽으로 집니다.

3 주사위 눈의 수가 1부터 6까지 있기 때문에 '불가능하다'라고 표현할 수 있습니다.

185쪽 **1** 단계 교과서 개념

1 ⓒ, ⓛ, ⊙

2 가은, 승기, 윤주

3 (1) ( )
(2) (○)

---

1 윤주: 공룡은 멸종 동물이므로 공룡이 올 가능성은 '불가능하다'입니다.
승기: 내일은 오늘보다 추울 수도 있고, 아닐 수도 있으므로 내일이 오늘보다 추울 가능성은 '반반이다'입니다.
가은: 오늘이 화요일이면 내일은 수요일이므로 내일이 수요일일 가능성은 '확실하다'입니다.

2 윤주: 불가능하다, 승기: 반반이다, 가은: 확실하다
⇨ 일이 일어날 가능성이 높은 순서대로 이름을 쓰면 가은, 승기, 윤주입니다.

3 (1) 다음 주는 일주일 내내 비가 올 것입니다.
⇨ ~아닐 것 같다
(2) 내년에는 2월이 3월보다 빨리 올 것입니다.
⇨ 확실하다

187쪽 **1** 단계 교과서 개념

1 (1) 0 (2) 1

2 (1) $\dfrac{1}{2}$ (2) $\dfrac{1}{2}$

3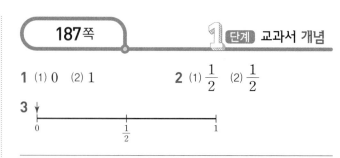

---

1 (1) 꺼낸 구슬이 빨간색일 가능성은 '불가능하다'이므로 수로 표현하면 0입니다.
(2) 꺼낸 구슬이 파란색일 가능성은 '확실하다'이므로 수로 표현하면 1입니다.

2 그림 면이 나올 가능성도 '반반이다'이고 숫자 면이 나올 가능성도 '반반이다'이므로 수로 표현하면 $\dfrac{1}{2}$입니다.

3 꺼낸 바둑돌이 검은색일 가능성은 '불가능하다'이므로 수로 표현하면 0입니다.

188~189쪽 **2** 단계 개념 집중 연습

01 반반이다에 ○표
02 불가능하다에 ○표
03 반반이다에 ○표
04 확실하다에 ○표
05 ⊙
06 ⓜ
07 ⓛ
08 ⓒ
09
10 연우
11 준기
12 0
13 1
14 $\dfrac{1}{2}$
15 $\dfrac{1}{2}$

---

12 꺼낸 바둑돌이 흰색일 가능성은 '불가능하다'이므로 수로 표현하면 0입니다.

13 꺼낸 바둑돌이 검은색일 가능성은 '확실하다'이므로 수로 표현하면 1입니다.

14 꺼낸 바둑돌이 흰색일 가능성은 '반반이다'이므로 수로 표현하면 $\dfrac{1}{2}$입니다.

15 꺼낸 바둑돌이 검은색일 가능성은 '반반이다'이므로 수로 표현하면 $\dfrac{1}{2}$입니다.

190~193쪽 ③단계 익힘책 익히기

01

방법	○표
각 학급의 안경을 쓴 학생 수 7, 11, 10, 8, 9 중 가장 큰 수인 11로 정합니다.	
각 학급의 안경을 쓴 학생 수 7, 11, 10, 8, 9 중 가장 작은 수인 7로 정합니다.	
각 학급의 안경을 쓴 학생 수 7, 11, 10, 8, 9를 고르게 하면 9, 9, 9, 9, 9가 되므로 9로 정합니다.	○

02 9명

03 400, 300, 5, 1500, 300

04 방법1 예 20장 / 20, 20
방법2 25, 16, 80, 20

05 6개, 7개   **06** 승희네 모둠

07

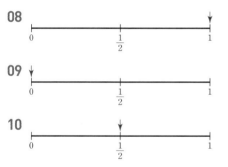

일 \ 가능성	불가능 하다	~아닐 것 같다	반반 이다	~일 것 같다	확실 하다
2와 4를 곱하면 10이 될 것입니다.	○				
내년에는 1월이 3월보다 빨리 올 것입니다.					○
은행에서 뽑은 대기 번호표의 번호가 짝수일 것입니다.			○		
1부터 6까지의 눈이 있는 주사위를 굴리면 주사위 눈의 수가 2 이상으로 나올 것입니다.				○	
동전 4개를 동시에 던지면 4개 모두 그림 면이 나올 것입니다.		○			

08

```
0 ────────── 1/2 ────────── 1↓
```

09

```
0↓ ────────── 1/2 ────────── 1
```

10

```
0 ────────── 1/2↓ ────────── 1
```

11 확실하다   **12** 슬기, 준기, 지수   **13** 130명

---

01 각 학급의 안경을 쓴 학생 수 7, 11, 10, 8, 9 중 가장 큰 수나 가장 작은 수만으로는 각 학급당 몇 명의 안경을 쓴 학생이 있는지 알기 어렵습니다.

02 각 학급의 안경을 쓴 학생 수 7, 11, 10, 8, 9를 고르게 하면 9, 9, 9, 9, 9가 되므로 학급별 안경을 쓴 학생 수의 평균은 9명입니다.

03 (평균)=(자료의 값을 모두 더한 수)÷(자료의 수)
=(200+350+250+400+300)÷5
=1500÷5=300 (mL)

05 진형이네 모둠: (평균)=(5+7+1+9+8)÷5
=30÷5=6(개)
승희네 모둠: (평균)=(9+4+10+5)÷4
=28÷4=7(개)

06 6개<7개로 승희네 모둠의 제기차기 기록의 평균이 더 많으므로 승희네 모둠이 더 잘했다고 볼 수 있습니다.

08 회전판 가를 돌릴 때 화살이 빨간색에 멈출 가능성은 '확실하다'이므로 수로 표현하면 1입니다.

09 회전판 가를 돌릴 때 화살이 파란색에 멈출 가능성은 '불가능하다'이므로 수로 표현하면 0입니다.

10 회전판 나를 돌릴 때 화살이 파란색에 멈출 가능성은 '반반이다'이므로 수로 표현하면 $\frac{1}{2}$입니다.

11 제비뽑기 상자에 당첨 제비만 5개 들어 있으므로 이 상자에서 뽑은 제비가 당첨 제비일 가능성은 '확실하다'입니다.

12 지수: 불가능하다, 슬기: 확실하다, 준기: 반반이다
⇨ 일이 일어날 가능성이 높은 친구부터 순서대로 이름을 쓰면 슬기, 준기, 지수입니다.

13 (윤서네 학교 전체 학생 수)=133×6=798(명)
⇨ (5학년 학생 수)
=798−(136+133+132+134+133)
=130(명)

194~196쪽 ④단계 단원 평가

01 평균   **02** 2, 6, 4 / 20, 4

03 355개   **04** 71개

05

			○					
	○		○					
	○		○					
	○		○					
○	○	○	○		○	○	○	○
○	○	○	○		○	○	○	○
선영	건우	홍주	성준		선영	건우	홍주	성준

/ 4개

06 5, 3, 6, 4

07

08 20초

09 153 cm, 151 cm

10 경희네 모둠

11 1

12 0

13 ㉡

14
$$\begin{array}{c} \vdash\!\downarrow\!\dashv \\ 0 \qquad\quad \frac{1}{2} \qquad\quad 1 \end{array}$$

15 ㉡

16 ㉢, ㉠, ㉡

17 나, 다, 가

18 반반이다 / $\frac{1}{2}$

19 ㉡

20 83점

---

02 (평균)＝(자료의 값을 모두 더한 수)÷(자료의 수)

03 56＋83＋76＋68＋72＝355(개)

04 355÷5＝71(개)

05 ○표를 옮겨 구슬 수를 고르게 하니 ○표가 모두 4개씩입니다.

06 (평균)＝(자료의 값을 모두 더한 수)÷(자료의 수)

07 계산기에 '1＋2＝'을 누르면 3이 나오므로 불가능합니다.

08 (20＋20＋24＋19＋17)÷5＝100÷5＝20(초)

09 ・성희네 모둠: (149＋153＋161＋148＋154)÷5
　　　　　　　　＝765÷5＝153 (cm)
　　・은우네 모둠: (145＋151＋155＋153)÷4
　　　　　　　　＝604÷4＝151 (cm)

10 153 cm＞151 cm이므로 경희네 모둠의 키의 평균이 더 큽니다.

11 꺼낸 사탕이 레몬맛 사탕일 가능성은 '확실하다'이므로 수로 표현하면 1입니다.

12 꺼낸 사탕이 포도맛 사탕일 가능성은 '불가능하다'이므로 수로 표현하면 0입니다.

13 ㉠ ～아닐 것 같다　㉡ 반반이다　㉢ 확실하다

14 회전판을 돌릴 때 화살이 초록색에 멈출 가능성은 '반반이다'이므로 수로 표현하면 $\frac{1}{2}\left(=\frac{2}{4}\right)$입니다.

15 ㉠ 불가능하다　㉡ 반반이다

17 가: 불가능하다, 나: 확실하다, 다: 반반이다
　　⇨ 화살이 파란색에 멈출 가능성이 높은 순서대로 기호를 쓰면 나, 다, 가입니다.

18 ○× 문제의 정답이 ○일 가능성은 '반반이다'이며 수로 표현하면 $\frac{1}{2}$입니다.

19 4장의 수 카드 중에서 짝수를 뽑을 가능성은 '반반이다'이므로 수로 표현하면 $\frac{1}{2}\left(=\frac{2}{4}\right)$입니다.

20 (4과목 점수의 합)＝82×4＝328(점)
　　⇨ (수학 점수)＝328－(90＋75＋80)＝83(점)

197쪽　　　　　　　　　　　스스로 학습장

1 20분　　　　　　　**2** 40분
3 30분　　　　　　　**4** 운동

---

1 (15＋25＋10＋30＋20)÷5＝100÷5＝20(분)

2 (50＋40＋55＋30＋25)÷5＝200÷5＝40(분)

3 (20＋35＋30＋25＋40)÷5＝150÷5＝30(분)

4 40분＞30분＞20분이므로 활동을 한 시간의 평균이 가장 긴 것은 운동입니다.

수학 단원평가

각종 학교 시험, 한 권으로 끝내자!

수학 단원평가

초등 1~6학년(학기별)

쪽지시험, 단원평가, 서술형 평가 등 다양한 수행평가에 맞는 최신 경향의 문제 수록
A, B, C 세 단계 난이도의 단원평가로 실력을 점검하고 부족한 부분을 빠르게 보충 가능
기본 개념 문제로 구성된 쪽지시험과 단원평가 5회분으로 확실한 단원 마무리

정답은
이안에
있어!

◀

최고를 꿈꾸는 아이들의 수준 높은 상위권 문제집!

중상위 심화서

최상위 심화서